新世纪教师教育丛书·修订版

袁振国 主编

师生沟通的艺术

屠荣生　唐思群　编著

教育科学出版社

·北京·

《新世纪教师教育丛书》修订版前言

振兴民族的希望在教育，振兴教育的希望在教师。

教师是一种专门化的职业，它有自己的理想追求，有自己的理论指导，有自觉的职业规范和成熟的技能技巧，具有不可替代的独立特性。教师不仅是知识的传递者，而且是道德的引导者，是思想的启迪者，是心灵世界的开拓者，是情感、意志、信念的塑造师；教师不仅需要知道传授什么知识，而且需要知道怎样传授知识，知道针对不同的学生采取不同的教学策略。教师职业的专门化既是一种认识，更是一个奋斗过程；既是一种职业资格的认定，更是一个终身学习、不断更新的自觉追求。中国教师队伍的培养和培训正在发生着历史性的变革，正在从发展数量向提高质量转变，提高质量将成为新世纪教师队伍建设的主旋律。在这种转变的过程中，无论是职前培养还是职后培训，无论是教育机构还是教师个人，都需要以一种新的姿态迎接这一转变。

我们从对广大中小学的调查中了解到，面对全面推进素质教育的新形势，当今教师迫切需要不断更新教育理念，提高将知识转化为智慧、将理论转化为方法的能力，提高将学科知识、教育理论和现代信息技术有机整合的能力，增强理解学生和促进学生道德、学识和个性全面发展的自觉性。为了响应这种挑战，广大的师范院校和教师培训机构都在积极探索教师教育的新内容和新方法。以华东师范大学为例，1996年起，就有组织地开发了现代教育理论与教育实践紧密结合的新课程系统和教学模式，这些课程包括：教育新理念、课程理论与课程创新、现代教育技术、教育评价与测量、当代教学理论、教学策略、心理健康指导、网络教学、课件制作、教会学生思维、师生沟通的艺术、优秀班主任研究、中小学教学与管理案例分析、教育研究方法、基础教育改革的理论与实践等。参加课程开发的教师60%具有教授、副教授职称，80%具有硕士、博士学位。这一项目列入了教育部师范司"面向21世纪高师教学与课程改革计划"重点项目。我主持了这一项目的研究和实践。根据边实践、边研究、边总结、边改进的方针，经过几轮教学，逐渐形成了一批相对成熟的教材，经过精选整合、修改补充，于2001年由教育科学出版社出版。由于这套丛书理念新、注重理论联系实际、强调可操作性，出版以后受到了读者极大欢迎，数次甚至数十次重印，为满足教师教育的新形势、新要求，尽了绵薄之力。

正是由于这套丛书影响大、受欢迎程度高，所以更增强了我们的责任感。丛书出版的六年多来，教师教育的知识、观念不断更新，教师教育的实践不断发展，我们对教师教育课程的认识也不断深化，为此，根据教师教育的新形势和新要求，我们对《新世纪教师教育丛书》进行了修订。这次修订包括两方面，一是对第一版图书进行了较大修订，更新了内容，改善了结构，修饰了语言，修订了错误；二是丛书新增了若干选题，以反映教师教育的新要求。

祝愿丛书与我国一千多万中小学教师共同成长。

袁振国
2007 年 7 月

目　　录

2

1

师生沟通与教育效能

    德国在二次大战后疮痍满目，庐舍为墟。这时，一位知名人士出任某市市长。这个城市两面环河，原有的桥在战争中已被炸毁。市长一到任，第一件事就是下令修桥。

    当时哀鸿遍野，迫切需要住宅、医院、学校、商场。许多人认为修桥并不着急，纷纷表示反对。然而，这位市长力排众议，始终不改初衷。两桥修成，运输畅通，城市迅速复兴重建。这时，很多人才认识到这位市长确有先见之明。

    有人从此得到启发，比喻说："沟通就是构架心灵之间的桥梁，而不是建造只可容膝的碉堡。"

    也有人感悟："有了桥，你就拥有了世界，甚至拥有了一个宇宙。"

    成功的教育取决于多项因素。其中一个最重要的因素是教师与学生之间的沟通质量。从这个意义上来说，师生沟通也是"架桥"、是构筑一座通往教育目的之实现的"心灵之桥"。

    这座桥的一头连着教师、一头连着学生。通过这座桥，传递着教师的拳拳爱心，也让学生不断汲取着知识技能、道德营养……

    教师是这座"心灵之桥"的主要设计者、营造者。对于教师来说，和建筑师一样，有一个总体的指导思想、设计思路是最为重要的。

    在师生沟通中，怎样看待教师、学生及师生之间的关系、怎样看待教育理想和教育现实之间的关系，是做好师生沟通的前提。因此，在这本书的第一章，我们主要从人本主义心理学思想出发，首先和大家一起来探讨一下有关对师生关系和沟通的一些基本问题的看法。

第一节　师生关系与教育效能

一、师生关系是教育成功的关键

教师在教育活动中经常会面对这样的困惑：教师自以为是在向学生热情地传递知识、价值观和各种行为要求，而学生却毫无相应的兴趣。教师们常常面临的是学生的抗拒，低度的学习动机，注意力不集中、厌学等现象，甚至是直接的反对。

教师们内心常常会感到很不平衡，常常会对学生说："你长大了就会明白你现在的努力是值得的""我都是为你好""你们要听话""你怎么可以这样对待学习！"等等。而学生面对教师传递给他们的心态，他们的回应却常常是："这个老师真啰唆""这个老师真凶""真没意思""讨厌""不想见到你"等等。这样的冲突在学校中每天都在发生。

因此，在师生关系的链条中，并不像人们理想中那样——师生之间绝对地互相尊敬、热爱，互相得到双方需要的满意回报。相反的是，相当一部分师生因为双方沟通的不畅，长时间在互相埋怨、互不信任，对对方不满意，继而对自己也充满了失败感，然后共同对教育失去信心，这是一种可悲的事实。

所以，虽然成功的教育取决于多项因素，但其中一个最重要的因素是教师与学生之间的沟通质量。因为教育对学生发生效能是通过师生之间人际关系的有效程度来决定的。教师首先要有能力与学生建立良好的人际关系，并且，教师要有这样的一种意识：学校里所设计的所有工作，都是在这种师生关系中进行的。师生之间关系的好坏是教育成功的关键。

学生在进入社会前，需要在教育过程中学习如何思维，学习如何与人交流，学习各种知识，并塑造各种相应的行为。在学生的成长过程中，教师被要求负起一个重大的责任，那就是引导学生在接受教育的过程中，始终保持对教育的渴望和兴趣。为了让学生学得轻松、有效而快乐，教师与学生的有效沟通是至关重要的。

教师只有懂得如何去与学生沟通，懂得如何去满足学生的需要，并引导学生懂得如何来满足教师的需要，师生之间建立相互信任、尊重、彼此接纳、理解的关系，那么教育活动才能使学生产生兴趣和接受性。反之，在师生关系中，如果学生觉得自己无能、自卑，觉得被同学奚落、嗤笑，觉得自己不被信任，不被理解，无论是学生平时多么喜欢的课程，也不会产生学习的热情，不会对学校产生好感了。

教师的教与学生的学是在师生之间的沟通中进行的。沟通是学校实现教育目标、满足教育要求、实现教育理想的重要手段。师生之间如何沟通，沟通的品质如何，决定了教育具有多大程度的有效性。而沟通的品质又决定了师生这种人际关系的品质。

我们发现，学生往往是先喜欢教师，再喜欢教师所提供的教育。他们很注重对教师的整体感觉是"喜欢"还是"不喜欢"，然后再来决定对教师的教育是"接受"还是"不接受"。这种现象也符合通常的人际关系规则：一个人事业上的成功，只有15%是由于他的专业技术，另外的85%要靠沟通技巧。当学生喜欢一个教师后，对这个教师所给予的教育影响会产生很强的接纳感，会带着良好的情感来正面理解教师的语言，接受教师的要求。因此，学生是先喜欢教师，再喜欢教师所提供的教育，接受教师所施加的教育影响。如果教师伤害了学生的自尊和感情，学生与教师的人际关系必然僵化，那么，教师无论有怎样的良好用心，学生也难以接受，并从内心深处对教师产生很大的抵触感。

二、大脑两个活动区域理论的启示

最近几十年来，人们对人类大脑的构造有了新的研究成果，发现每个人不但有一个理智的大脑，还有一个情感的大脑，我们的每一个观念和心态都是两者共同运作的结果。情感大脑与理智大脑各以其极不相同的认知方式密切合作。

脑干是脑的最低级部位，环绕在脊髓顶端。任何动物，只要其神经系统的发育已超出最简单的形式，就都具有脑干。脑干调节生命的基本功能，诸如呼吸、新陈代谢等，并控制固定反应与运动。这个部位谈不上思维与学习。自脑干这最原始的部位发展出了情绪中枢。人脑经过几百万年的进化，在情绪中枢之上又发展出思维中枢，这一部位称为"新皮质"，它包裹覆盖在大脑球体的最外层。因此，人脑先有情绪中枢，再慢慢发展出思维中枢。情绪具有干扰思维的强大功能，这就是思维往往难以抗衡情感的原因。

这项研究揭示出，学生首先需要对教育活动产生热情，才会有对教育活动的投入；只有对教师产生尊敬、好感等正面的情绪，才能接受教师所传递的教育影响。教师首先需要通过各种教育技巧唤起学生的情感，再进行逻辑层面的教学，才会产生相应的思维热情。而师生之间所有的正面情感都是在良好的师生关系中产生的。

三、师生沟通是一种教育能力

师生之间良好的人际关系是在师生沟通中建立的。而教师良好的沟通能力并不是天生的，需要经过一系列的学习和训练。

在美国，现在有97%的大学都开设了各种各样的沟通课程，而且深受学生的欢迎。在国内外的企业培训中，各类人际沟通的课程成了最时兴、最受欢迎的课程之一。然而，在教育界，迄今专门涉及师生沟通方面的研究成果和训练实践却寥若晨星。

这是因为在我国传统的教师教育培训体系中，往往注重的是让教师学习一些抽象的概念和理论，而不是注意如何帮助教师在与学生的互动中，将理论化为具体的沟通实践。比如，过去绝大多数教师都知道"尊重学生"的概念，然而，一个教师应怎样做才是在"尊重学生"，很多教师并不知道。

本书旨在帮助教师在理论与实践之间架起一座桥梁，让教师懂得一些师生沟通的心理学原理和方法、掌握一些经过验证后的实用沟通技巧，而不是空洞的理论。这些原理、方法和技巧基于许多人际关系通用成功的法则，基于许多教育学、心理学的研究成果、也基于许多优秀教师的实践经验。我们试图引导教师通过掌握这一系列的原理、方法和技巧，与自己所从事的教育工作联系起来，在与学生建立有效人际关系的前提下，来有效地开启他们内在的智慧和各种资源，培养他们成才。

一位教师只有将理论转化为具体工作中的工作技巧，才算真正地消化了理论，才算真正具有教育的能力。如前所述，在学校教育中，师生之间的沟通效能决定教育的整体效能。因此，与学生建立良好的人际关系是教师首先要养成的教育能力，而这种能力的形成需要学习和训练。

第二节 打破"好教师"和"好学生"的神话

一、打破"好教师"的神话

1. 老师，你的心情现在好吗？

日本教育学家曾经把教师职业敬称为"圣职""艺术家"。中国的传统文化中一直有许多关于"师道尊严""一日为师，终身为父"等十分看重教师职业的观念。捷克教育家夸美纽斯的名言"教师是太阳底下最光辉的职业"更是脍炙人口。所以，在人们的观念中，教师是"人类灵魂的工程师"，是最为圣洁、最具有精神价值的职业，一定会给人带来愉悦、幸福和成就感。

然而，对于许多从事教师职业的人而言，他们的感受果真如此吗？一位刚从师范学院毕业不久的年轻教师说："当我刚刚走入这所普通中学开始执教时，我感到兴奋、自豪和新奇，我把自己看做是一群快乐孩子的管理者，他们在我的引导下，喜欢学习、探索和发现。可是事实却让我非常失望！我的学生常常不听我的管教，很多学生厌学，不守纪律，说谎，打架，漏交作业，不求上进，得过且过。学校领导只会要求我们的班考出好成绩，不关心我们班同学的具体情况。我现在是如此讨厌我的工作，甚至从星期一就开始盼望着星期五下午快点到来。我简直看不出这样一辈子当教师有什么意思！"

与这位教师有同感的人，在学校中并不算少。当教师有以上感受时，会产生一些不良反应：

首先是产生习得性失助感——有些教师很想改善师生关系，但在做过多次努力后仍发现没有效果，就会怀疑自己的教育能力。还有的教师则可能干脆将自己定位为"不是教书的料"等。长此以往，教师就会有自信心低落、自尊心下降等负面心理现象产生。

其次是带来错误的归因方式——有的会责怪在师范学校接受训练时，他们的老师只是在向他们描述教育工作的理想意义，没有让他们知道"那个世界的真相"。有的人会认为"今天的孩子与以前不一样，因为是独生子女，容易任性不听话"。有的教师会将这种挫折归咎为"我们学校生源不好""学校教学设施差""家长不配合""班级人数太多"等等。还有的教师会将原因归咎于"教师待遇差，没有工作的积极性"。

然后就会产生心理和生理上的种种不适，如社交生活受影响，厌倦教学工作，以及头痛、恶心、身体不适、情绪不稳定等。

2. 打破"好教师"的神话

造成教师这种失意心态的主要原因是这些教师都陷入了"好教师"的神话。

以上这些教师对工作没有成就感原因的解释从表面上看不无道理，但实际上却并没有抓住问题的实质。我们认为这种教师对工作的挫折感，与教师本人对教师职业所赋予的"神话"色彩有关。一般来说，教师职业总给人一种"神圣""崇高"的形象，教师对自己也有不同程度的要求。教师给自己订一些标准，本来是无可厚非的，但如果标准订得太多，往往会产生反效果以及一连串意想不到的坏影响。

在以往的传统中，流行的"好教师"的形象要具备下列品行：

（1）好教师应该是沉着而不容易激动，经常保持稳定的心情，永远不失"冷静"，不流露强烈的情绪；

（2）好教师不偏倚，对学生没有成见，能一视同仁；

（3）好教师能够也应该对学生掩饰自己真实的感情；

（4）好教师对所有学生接纳的程度都一样，心目中绝无宠儿；

（5）好教师应该常常超时工作，为公忘私；

（6）好教师对学生应该怀有无条件的慈悲心肠，对学生的要求有求必应；

（7）好教师能够提供一种学习的环境，帮助学生激发学习兴趣，营造既安静又有次序的环境；

（8）好教师要有高度智慧，他们的智慧远远高于所有学生，知道所有问题的答案；

（9）好教师互相支持，在个人感情、价值观、行为评估等方面，他们都能对学生表现一致；

（10）好教师是完美的化身，永远不犯错误。

……

总之，好教师必须比一般人好，具有更丰富的知识，具有更强的理解力，更加完美。在接受这种"神话"的人看来，好教师必须超越人性的弱点，自始至终显得公正、关心、同情……

然而，当一位教师希望自己能够拥有这些完美的品质而又达不到这些要求时，则会产生一些负面的心理压力和后果：

（1）社交生活受影响；

（2）厌倦教学工作；

（3）头痛、恶心，身体不适；

（4）情绪不稳定；

（5）自信心低落，自尊心下降；

（6）消极无助。

……

以上见解犯了一个基本的错误，那就是要求教师否定本身的人性。这种"好教师的神话"，从切实可行的角度来看，除非是出于蓄意的表演与自欺，其实是很难真正做到的。可是，仍有相当多的教师在内心支持这种"好教师"的标准，认为一个"好教师"的理想模式必须包括上面那些"神话"中的理想品质，他们把自己与上述模式进行比较，结果发现自己不够格而产生沮丧心理。

因此，进入教师岗位前对教师职业怀有不真实的幻想，加上传统的教育理论常常脱离实际，对教师职业只从理想化的角度来分析其意义和价值，把教师的工作神话化，把学生对教育的接受神话化，再加上社会舆论的推波助澜，造成了许多人对教师职业的失望。

3. 新时代的教师形象

作为新时代的教师，我们要重新调整对自己的要求，重新制订一些较实际、较具体的指标，从而帮助我们释放一些没有必要的压力，使我们的工作收到事半功倍的效果。

教师在接受这些较实际的标准时，可以使用这些心理语言："教师尽量要……希望能够……可以……"给自己保持较开阔的心理空间。作为新时代的教师，可以这样来要求自己：

（1）能够触角敏锐，重视与学生的沟通；

（2）能够积极进取，创新求变；

（3）懂得忙里偷闲，消除自己的压力，掌握放松的技巧；

（4）对学生要求合理，循序渐进的推进工作；

（5）处事公正，重情重理；

（6）因材施教，教学方法灵活多变；

（7）注意引导学生激发团队精神，互谅互助；

（8）幽默乐观，坦诚真挚；

（9）宽容、接纳学生的过错。

……

这种模式与标准比较富有人情味，较实际可行，可以帮助教师以自己本来的个性特点与学生互动。

所以，要做一个成功、快乐的好教师，首先应该懂得理想和现实之间的差距，对教师角色有一个符合客观现实的认识。

二、打破"好学生"的神话

1. "好学生"的神话

既然做教师的有一套"好教师"的神话，在教师和学生的心目中，还无形中存在"好学生"的神话。我们常常期望一个"好学生"应该具有下列好品质：

（1）无条件尊重教师，从不反驳教师的命令和要求；

（2）好学不倦，能够长时间不分心地读书；

（3）八面玲珑，不得罪同学；

（4）上课时始终保持安静；

（5）保持形象，为学校增光；

（6）多项全能，样样皆行。

……

其实，让学生时常或一定要达到这些要求，不但令学生感到不合情理，要求苛刻，而且也容易让教师产生失望感和失落感。

2. 新时代的学生形象

新时代的学生，应该有配合新时代的标准和要求，与新时代教师的形象和价值观相吻合，使师生关系容易融洽和谐。

学生在接受这些较实际的标准时，可以使用这些心理语言："新时代的学生尽量要……希望能够……可以……"作为新时代的学生，可以这样来要求自己：

（1）多才多艺，尽量展开特长；

（2）动静得宜，有问有答；

（3）善于安排时间，珍惜青春；

（4）触角敏锐，创新求变；

（5）尊重人，乐于与他人合作；

（6）幽默乐观，坦诚真挚。

……

学生只有在良好的师生关系中才能积极主动地学习。所谓良好的师生关系，是教师和学生双方用不着时时戴着面具去设防，而是让双方的个性都得到充分展示。

三、良好师生关系的特征

从人本主义心理学出发，良好的师生关系具备以下 5 个方面的特性：

（1）坦白或明朗——彼此诚实不欺诈；

（2）关心——彼此都知道自己受对方重视；

（3）独立性——彼此互不依赖；

（4）个体性——一方允许另一方发展其独特的个性与创造力；

（5）彼此适应对方的需要——一方需求的满足不以另一方需求的牺牲为代价。

也许，许多教师会对这些特性产生怀疑："说得动听，可是我如何在我的教室中营造这种关系？"答案是："有限度的肯定。"事实上，我们做任何事情都难以尽善尽美，每位教师只要尽自己最大可能来改善与学生的关系，使其"较"坦白，"较"关心，"较"具独立性与个体性，从而也"较"令人满意。

另外一个值得重视的现象是，我们许多教师在接受正规教育时，对人与人之间的关系看得过于简单，他们自己在实际生活中对什么是良好的人际关系也感到茫然，虽然念了一大堆心理学理论，但仍难以应用于真实生活中的人际关系，因此，这些理论对实践的指导性也就显得有些苍白无力了。

我们在后面的各章中，将为教师设计一系列用于建设良好人际关系的行为模式，教师不仅可以将它们用于课堂教学和班主任工作，也可以将它们应用于与单位同事的人际交往、与自己子女的亲子沟通等各个领域。因为不管在任何领域，良好人际关系的建立都有通用的规则。

练习：对师生关系和师生沟通的基本自我觉察

能够与他人建立起长期稳定、良好的人际关系，是评估一个人心理健康的重要标准，这种关系会随着时间的进行，不断地产生问题，但借着彼此坦诚的沟通，问题就可以得到解决。诚实地思考下列问题，对你将大有帮助：

一、在你与学生沟通时，常常遇到什么样的困难？

　　1. _____　2. _____　3. _____　4. _____

二、在你身上，学生最喜欢你的心理特征有：

　　1. _____　2. _____　3. _____　4. _____

三、在你身上，学生最不喜欢你的心理特征有：

　　1. _____　2. _____　3. _____　4. _____

四、在以上几项心理特征中，你自己认为：

　　_____等几项估计我有可能改变。

　　_____等几项估计我不可能改变。

五、读完本章后，你对师生关系的理解有哪些改变：

　　_____

　　_____

六、用三个以上的形容词描绘你与学生沟通的状况：

　　1. _____　2. _____　3. _____　4. _____

2

有效师生沟通的基本前提

我们先来看一段师生之间的对话：

学生：老师，我不知道怎样写这篇作文。

你认为以下哪种教师的回应较好：

（1）教师：你要动脑筋呀！不要害怕困难。

（2）教师：你不喜欢写作文，是吗？

（3）教师：你不喜欢写作文，是吗？老师在你这样大的时候也不喜欢写作文。

（4）教师：你不喜欢写作文是吗？老师在你这样大的时候也不喜欢写作文。不过，当我掌握了一个方法后，觉得写作文是一件愉快的事情了。你愿意来试试这种方法吗？

（5）教师：你能告诉我你写这篇作文，有哪些地方不知道如何来动笔吗？

也许你已经能看出哪一种方式是比较有效的。但是，你知道其中的心理学原理吗？教师的主导作用又是通过什么体现出来的呢？

本章会和你探讨师生沟通的含义，分析有效师生沟通的基本心理学原则，让你从理论上有所感悟。这样，你今后能够举一反三地选择正确的师生沟通方式。

第一节　对师生沟通的含义的理解

在师生沟通中，教师是矛盾的主要方面，所以本书阐述的是师—生沟通、不是生—师沟通。不少研究都表明，教育活动中有 70% 的错误是由于教师不善于沟通造成的，其中一个主要原因是教师不了解师生沟通的真正含义，不了解有效师生沟通的基本前提。因此，教师在与学生沟通时，首先需要了解师生沟通的真正含义，确立以下几个方面的意识。

一、教师所做的每一件事情都是在与学生沟通

人类生活中充满了语言和非语言、有意传达和无意传达的信息，而我们说话所应用的词汇仅仅只占其中的 7% ~ 24% 。早上我们选择穿什么式样的衣服时，实际上我们在传递我们对自我形象和自尊的假想信息；当我们选择一些个人物品放在桌子上，同样也在表现我们的价值取向；不论我们是变换姿势，还是改变坐的位置，或是变换脸部的表情，都在表现我们对事物的态度和感觉。我们或使用或省略某些词汇，以及在使用这些词汇时的力度和强度，本身也是在向人们表达出我们的内心状态。这些信息的传递可能是无意识的发出或接受的，但不管如何，它们还是被发出和接受了。

对学生而言，教师的一举一动、一颦一笑、装扮气质、语言和表情，都是在对学生传递一种信息，让学生在下意识层面里时时判断："我是不是该喜欢这个老师？""这个老师怎么看待我？""这个老师喜欢我吗？""这个老师是不是让我觉得很愉快，觉得很舒服？"……

学生非常在意老师对他们的评价，也非常注重他们在每个老师心目中的形象和"让他们喜欢的程度"。年级越低的学生，这种心态越多，

比如小学生，他们往往是从教师的外形、说话的声音、走路的姿态、面部的表情、甚至年龄的大小等方面来决定"我是不是该喜欢这个老师"。他们也从教师对他们讲话时的表情和语气、语言等方面来判断"这个老师是不是喜欢我"。年级越低的学生，他们对学校施与他们的教育影响，越是受制于他们对师生关系的感受。即使到了中学，学生对教育影响的接受度，仍然受到他们与施与这些教育影响的具体教师的人际关系质量的影响。

因此，师生之间的沟通是师生双方整体信息的沟通，是每地每时每刻在不间断地进行的。因此，教师只要一和学生接触，就应该清楚地认识到：师生沟通实际上已经开始，我得马上进入自己的角色，千万不能掉以轻心。

二、教师发出信息的方式影响学生对教师的评价方式

在师生沟通中，沟通信息的构成远比我们使用的词汇要复杂。教师说话的语气和语调，教师与学生眼睛接触的频率，教师的表情姿态，甚至头部的倾斜方向等，所有这些都在帮助学生接受、理解教师所使用的语言的意义。尽管在与学生的交流中教师可能并没有意识到自己传递信息的方式，但是，教师传递信息的方式确实影响着学生对这些信息的理解和评价。真正的沟通是信息被学生准确接受，而不仅是教师本人意图的表现。

在人们通常的沟通中，信息的接受远比我们想象的要复杂得多。在教师与学生的沟通中，人们通常考虑最多的是教师方的信息"应该""必须"让学生接受，或者说，做教师的通常在与学生沟通时的心态是"你作为我的学生，理所当然要接受这些信息"。但是，事实上，我们教师真正需要的是"学生如何来接受这些信息"。我们真正需要的是双方都满意的结果。教师仅仅拥有良好的意图未必能够带来良好的沟通效应。

所以，作为师生沟通的主动方——教师，不断改进自己发出信息的方式是至关重要的。

三、教师开始传递信息的方式，往往决定了与学生沟通的结果

在人们日常的沟通中，"第一印象"非常重要。我们平时也有这样的体会，我们常常是凭借对方给我们的初次印象来决定对他们的整体评价。学生对与教师的初次见面非常重视。在师生关系中，教师留给学生的第一印象，会影响学生对教师的评价。如果教师漫不经心地设计与学生的初次沟通，几句话就会使学生的注意力分散，甚至使他们厌倦，进而拒绝教师所传递的信息。

关于这一方面的问题，在本书的后面几章中将有专门的论述。

四、师生沟通应该是双向的

成功的沟通有两个关键的因素：教师传递给学生有说服力的信息，及时收集学生的反馈信息。

在沟通学中，常常对这个原理用"双手击掌"的例子来说明。成功的沟通就像是我们的双手在击掌：在一只手上我们想要陈述我们自己的观点。但是如果人们都这样做，我们就无法交流，无论这些观点是多么的清晰、公正、有说服力，我们所得到的只能是高谈阔论或是讽刺。所以，在另一只手上，我们需要倾听别人的观点。这是成功的交流所必需的。比如，我正在写的这本书，在我写的时候，这本书本身还不能构成沟通。沟通意味着你作为一个读者，在读这本书时，产生你的看法和观点，你在用这种方式与这本书交流。假如我写了这本书，没有读者，或者说即使有读者看，却没有引起读者的共鸣或产生其他观点，那么这本书就没有任何意义，因为沟通没有发生，书中所阐述的一切不过是一堆符号而已。

教师与学生的沟通，也应该是师生之间的双向交流，而不仅仅是教师对学生"提出要求"。"提出要求"是教师只顾自己说，而不注重学生的反应。这不是在与学生交流。在后面的章节中，我们会专门论述教师与学生谈话的技巧和方法。

五、教师要从学生的反馈和回应中判断沟通是否成功

教师怎样判断自己与学生的沟通是否成功？只要看学生的回馈与反应就可以了。换句话说，学生是不是按照你所希望的那样去想了，去做了？别人对你的印象如何？你的班级是否团结？你是否能够理解你的学生？这些都是判断师生沟通是否成功的标准。

教师对师生沟通含义的基本理解，是有效沟通的第一个基本前提。

第二节　　有效促进师生沟通的心理学原则

对师生沟通含义基本理解后，教师还必须知道在师生沟通中应该遵循哪些心理学原则，这是有效师生沟通的第二个基本前提。

其实，关于教师"应该"对师生关系有怎样的理解和理念，应该遵循哪些心理学原则，大多数教师在真正执教之前在学习教育学的时候就有不少涉及和了解，例如，要尊重学生，要发扬学生身上的积极因素，克服消极因素，要爱学生，等等。

但是，另外一个事实却同样存在：这些师生关系的原则对很多教师来说，仅仅是"关于师生沟通的概念和较抽象的理论"，至于如何将这些师生沟通的概念和理论与自己的实际工作接轨，如何将其中的活力和精髓在具体的教学及其他实际工作中体现出来，对很多教师而言，并不是非常清楚和明了。教师只有在与学生进行人际沟通时，才能检验自身对师生关系原则是否真正的理解，并加以贯彻执行。师生沟通的心理学

原则的生命力是在师生沟通的具体实践中具体体现出来的。

下面，我们就来探讨在成功的师生沟通中，教师必须遵循的几个心理学原则。

一、同理心

1. 什么是同理心

同理心包括三个条件：（1）站在对方的立场去理解对方；（2）了解导致这种情形的因素；（3）让对方了解自己对对方设身处地的理解。

同理心不等于了解。了解是我们对事物主观的认识，是以个人的、主观的参照标准看事物；而同理心是沟通方暂时放弃自身的主观参照标准，尝试设身处地从对方的参照标准来看事物，是我们能够从对方的处境来体察他的思想行为、了解他，因此而产生的独特感受。

同理心不等于认同，不等于认同和赞同对方的行为和看法。认同和赞同中包括沟通双方对一些问题的看法和价值观等方面有一致性，都带入了自己主观的参照评价系统。同理心是对对方有一种亲密的了解，好像感受自己一样去感受对方的内心世界，由此产生共鸣同感。

同理心不等于同情。在同情的心理活动中，交往的双方有高低、尊卑地位的差别；在同理心的心理活动中，沟通双方的地位是平等的，无高低之分。在沟通中，当同感出现时，给予者与接受者的地位是相等的，同时彼此不一定要有所认同。至于同情，是沟通双方往往处于不同的地位上。例如，我们了解到一个学生因为父母下岗，无力交纳学费，我们很同情他，教师们在同情心的驱使下，集体募捐帮助这个学生凑齐了学费。这种沟通的心态，有两个心理成分：一是教师们认同和分享了这位学生的困难，二是教师们是处于一个较优越的地位，带着"我有资格来帮助你"的心态。在与学生的沟通中，学生更需要的是得到老师的理解，而不是同情和怜悯。当学生得到教师的帮助时，通常在那一段时期会变得十分敏感，自我评价偏低，假如老师对学生带有过多的同情怜悯，会强化这个学生的自怜、自卑感，对学生的成长是有损无益的。

在人际关系中，如果沟通双方能够从同理心的角度，去理解对方的感受、信念和态度，并有效地将这些感受传递给对方，对方会感到得到理解和尊重，从而产生温暖感和舒畅的满足感。这种感受可以诱发出彼此充满体谅和关心爱护的沟通氛围。

2. 同理对方是一种沟通立场和能力

沟通的一方从对方的言行中推论出他的感受、信念和态度，是一种能力。在同理的过程中，包括对对方理性和情感状态的感受。在人际沟通中，越是有能力去清晰感受对方的内心世界中的种种感受和态度，就越能了解对方，越有能力去与对方建立良好的人际关系。要达到较有深度的同理，这就要求人们在沟通时首先能够放下自己的参照标准，将自己放在对方的立场和处境中来尝试感受对方的喜怒哀乐，经历对方正在或曾经面临的压力，并体会对方之所以会说出这样的话和导致这样的行动表现的缘由。

在沟通双方同理心的互动中，我们尝试站在对方的立场上来了解对方，与对方产生同样的感受和体验，同时，我们也是在协助对方进行自我表达、自我探索和自我了解；当我们的回应是具有同感的时候，对方会感到我们很明白他，从而有一种舒畅感和满足感，而这种感受会促使他继续做出默契的交谈和回应。这种敏感又亲密的人际关系是人人需要的。然而，很可惜的是我们常常习惯了主观看事物，往往以自身的经验和自身的感受来做判断，习惯从自身预设的既定标准来与对方回应，就很少能够接纳对方的看法和立场了。

教师要关怀学生，首先需要了解学生。要了解学生，首先需要先进入学生的情绪和思想的参照系统中，以学生的眼光去看"他的世界"，以学生的心情去体会"他的心情"，而且，也以他的思想来推理他的一切。

例如，学生小红在中学时期早恋。作为教师，当然不愿意这样年龄的学生谈恋爱，因为这样年龄的学生无论是对自身情感还是对对方情感的把握深度都不够，一旦发生爱情，就会牵制自己整个注意力，自然会影响学习。但如果我们尝试进入她的处境和身份中，情况就会有所不同。小红是一个从小父母双亡，与严厉、苛刻的姨妈生活在一起的女孩，长期渴望别人对她的关心和关注，希望能够得到别人温暖的对待，而这位男生对她恰恰非常关注和关心，他对她的温暖关怀，都恰巧满足了女孩的期望和心理需要。她便不顾外界一切的阻力，维持与这个男生的"恋爱"关系了……当我们放下主观的看法，设身处地的进入她的内心世界时，就能理解她对这份早恋的特殊感受了，对她的同理心自然就会出现，也就不会用警告的口吻谈话了，而是从更理解她和更爱她的角度与她沟通。

3. 教师对学生不能同理的不良后果

同理心的培养是教师与学生进行良好沟通的前提。这是由师生关系的特质所决定的——教育效能的发生是建立在良好的师生关系上，也就是说，是建立在教师对学生同理心的传递之后，学生对教师的接纳的基础之上。当一个教师不能或不愿同理时，与学生的沟通也就必然受阻，产生以下的后果。

（1）学生觉得教师不理解自己时，就会觉得教师并不关心自己，随之会感到很失望，很沮丧，对教师的信任度会降低，向教师敞开心胸的欲望会很快消失和终止。

（2）教师对学生没有产生同理心，也就不能真正地接纳学生，非常容易对学生提出无益的指责和批评，这种出于教师主观意识的"我向信息"的表达会让学生反感和受到伤害，与教师的沟通也就出现了对立。

（3）当教师不能真正同理他的学生时，也就不能正确地对学生做出积极的回应，对学生的内在世界中需要得到引导和纠正的地方也就不能提供建设性的帮助。

（4）一般而言，教师的主观判断让其不能对学生产生同理心。对学生进行主观的价值判断或缺乏了解，也就会给学生提供不合适的教育影响，甚至误导学生。

4. 教师对学生同理心的传递

教师对学生同理心的传递可以分为不同的层次：

（1）只是单纯将学生的感受回应给学生。教师对学生的感受、情绪、价值观和行为表现等领域的同理，是决定师生之间建立良性沟通关系的首要条件。但是，光有同理还是不够的，相当重要的一点是作为一个教师，他要懂得"意译"，即懂得将他对学生所观察到的信息含义反馈给学生。

下面是一段师生之间的对话：

生：老师，我最近情绪很不好，因为快要临近期末考试了！

师：你担心马上就要考试了吗？

生：不，我担心的是不知道你会出哪一类型的题目，我对回答论述题没有信心。

师：噢，你担心的是考试题型。

生：是的，论述题我总做不好。

师：我明白。你觉得自己对选择题较拿手。

生：是的，我害怕做论述题。

师：这次考试题型中没有出论述题。

生：太棒了！我可以不必担心了。

在这段对话里，教师的第一个回答并没有准确反馈出对学生的"担心"，学生觉得有重新比较详细地向教师表述"担心什么"的必要，直到教师能够真正了解为止。

下面再举几个"有效反馈"的例子。

例1，生：小龙老喜欢在上课时朝我做鬼脸，我很讨厌他！我下课后不跟他玩了。

师：你不喜欢他这样对待你，所以不跟他玩了。

生：是的，我要跟小黎玩。

例2，生：这所学校真的不如我以前所在的学校，那里的同学对我很和善。

师：你在这里觉得很孤单。

生：是的。

例3，生：为什么老是下雨呀？下雨天我们什么也不能玩，像坐滑梯、打篮球什么的。

师：你在教室里呆得发闷。

生：是的，我希望我能够出去玩。

在以上的几个例子中，教师对学生的"意译"回应都很准确，知道学生内心的真正意思。但是，需要注意的是，在这几位教师对学生的回应中，教师仅仅只是着重对学生外在情况的"感受"，而非外在情况本身。也就是说，教师的责任在于体察学生本人的感受，在于设身处地地去了解学生此时此地的感受，而不带自身的价值观去评判学生对他们所关注的对象。

比如说，在例1中，学生说："小龙老喜欢在上课时朝我做鬼脸，我很讨厌他！我下课后不跟他玩了。"教师并没有说："小龙是个不守纪律的学生，是吗？"教师的责任是帮助学生了解他自身的感受，帮助他探索他自己的真正问题并自行解决。当然，在这一次谈话中，不一定有效果，但至少缩短了问题解决的历程，有时可以为学生提供情绪抒泄的机会，让学生把这样的教师看做是一个可以交谈的对象。

（2）准确地向学生传递同理心。一个学生在初中升高中的会考失败后，呜呜地哭着说道："老师，我实在是不知道以后该怎么办？"有五位教师分别对他进行回应：

师1：你为什么感到如此难过呢？

师2：你一向成绩很好，但想不到会考失败了。

师3：因为会考不理想，所以你感到很失望，很难过。

师4：因为会考不理想，所以你感到很失望，很难过，也不清楚前面的路该如何走，心中很混乱。

师5：你一向成绩很好，从来没有想过会考会考得这样不理想，故对此特别感到失望与难过，也有点郁闷；与父母商量，似乎非重读不可，但自己实在有点不甘心，所以内心很矛盾。

按照一般的沟通理论，以上五位教师的回应分别象征五种层次的同理程度。

在第一层次的回应中，教师似乎根本没有留意这个学生所说的话，当他问学生为什么感到如此悲伤，是个十分不适合的问题，说明教师根本没有去感受这个学生的内心状态。

在第二个层次中，教师的回应虽然在内容上是和学生表面所说的一致，但他只领会了学生十分表面的感受，所以在回应中就只有内容上的表达，缺乏感情上的要素，显得了解得不够。

教师若要与学生产生积极的沟通效应，最低限度要能达到第三位教师那样的同理。这位教师的回应显示他对学生表达的感受有正确的了解，但他仍然没有对学生较深的感受做出回应。但是，这样的沟通对学生已经能够带来正面作用了。

第四位教师，由于他所达到的同感相当深，因此在他的回应中，他表达了学生表面言语后面更深的感受，可以引导学生去表达更深和本来还没有察觉的感受。

第五位教师，做到了最正确的同理。在他的回应中，无论在表面或深入的感受上，都很准确。在这个例子中，他不但同感到了学生很失望难过等表面的感受，甚至连很深入的，如气愤、不甘心和矛盾等也做了很准确的回应。能够在这个层次上做出回应的教师完全能够设身处地感受学生的内心世界了。

当我们能够做到深入的感受学生的内心，也就是对学生的接纳的开始，学生也就开始对教师接纳了。

5. 教师在同理心的交谈中应基于的立场

在与学生交谈中，教师的同理心对于沟通的重要性我们已经有了一定的了解。但是，同理心的沟通，真正的目的是为了帮助学生增进对自己的了解和接纳，是为了引导学生增强自己解决问题的能力和自觉性。因此，教师在对学生的内心感受进行同理时，应持有积极的沟通理念。

（1）教师对学生自行解决问题的能力，应有很深的信任感。教师从自己的内心深处相信学生可以解决自己的问题，就会在无形中给予学生信心和勇气。在与学生的同理心沟通过程中，即使两位教师对学生都具有第五层次的感受水平，但一位教师对学生自行解决自己的问题没有信心，一位教师对学生自行解决问题很有信心，后一位教师给予学生的回应会带来更积极的结果，而前一个教师给予学生的回应未必能够有这样的效应。若是学生一时找不到解决问题的办法，导致谈话拖拉无结果，教师对这个过程仍然要具有信心，因为只有基于这样的立场才有助于加速问题的解决——尽管这个过程可能会经历数天、数周或数月。

（2）在同理感受的过程中，教师应能"由衷的接受"学生所表现的情感，不管这种情感如何与教师心目中的尺度不相符合。在学生毫无掩饰地袒露、检讨并表达自己的感受时，他往往也就无形中摆脱了这一份困扰的情感。

（3）教师应该了解到，情绪往往十分短暂，只存在于片刻之间。教师对学生同理心的感受和回应，帮助学生从一片刻感受转移到另一个片刻，使全部情感问题化解、消融。

（4）教师必须由衷愿意帮助学生解决问题，并为此安排时间。

（5）教师对学生的烦恼应能感同身受，但又要保持适当的距离，不卷入学生的情感中。换句话说，教师对学生的烦恼应觉得"好像"就是自己的烦恼，却不能让它们"变成"自己的真实烦恼。

（6）教师应了解，学生往往不能开门见山地说出他真正的问题。同理心的回应是为了帮助学生从表面问题深入到症结性的问题。因此，教师不能为了同理心回应而回应，要一边聆听学生的话，一边思考如何在同理的基础上帮助学生更深入了解问题的症结。

6. 如何促进教师对学生的同理心

促进教师对学生的同理心包括以下三个步骤和条件。

（1）教师对学生向教师所传递的看法和感受持接纳态度；

（2）教师站在学生的立场，设身处地地从学生的立场来看待他们；

（3）透过语言或非语言的形式，向学生表达出教师对他们的了解。

这些增进与学生同理心的步骤和条件，在理论上和字面上不难理解。但是，在实际的工作中，教师与学生之间因为彼此之间存在的种种差别，阻碍教师对学生同理心的深入。这些差别有年龄、宗教、社会经济地位、教育水平、身份、角色意识，等等。

在实际的师生沟通中，我们发现教师越是人生经验丰富，生活阅历面开阔，越能够对处于不同时期、不同类型的学生进行同理。而越是不去了解社会的种种变化，越不去了解我们现在的学生是处于这种社会的快速变化之中，就越不能真正地对学生同理。

7. 同理敏感度的训练

为了避免教师与学生的沟通受阻，教师首先需要放下自己的思考模式来与学生同理。但是，这些同理心的建立，除了了解学生所处的时代对他们的价值观和思维特质的影响之外，也就是在观念上和理性上建立同理心的基础，还需要通过一定的方法来训练自己观察学生的能力，从而对学生的心理世界更敏感。

这种对学生的敏感也是建立在对自己生命敏感的基础之上的，需要做一些相关的训练。这种训练在心理辅导专业中被称为"观察力训练"。这种训练有以下一些方法。

（1）从学生的行为，包括从对方的语言和非语言的表达来寻找；

（2）从学生的说话特别是用词方面着手，进入这些词汇的含义中去体会。比如学生说："真讨厌！"当我们进入他所讲的这句话中，体会他所讲的"讨厌"可能仅仅是为了表达出他的愤怒，也可能是表达出对某些事物的看法，也可能是对自己的失望感或沮丧感。

（3）加强和丰富个人的词汇，对各种感受有更加清楚的分辨和体会；

（4）留意学生说话的语调的缓急高低，体会这些语调所表达出来的情绪和心态。例如当学生愤怒时，声音通常会很大，吐气很急，有时甚至还会叫喊；而学生忧郁时，语调通常会轻柔无力，吐气很弱。教师与他们谈话时，可以想象自己的声调和吐气与对方是同一个频率，同一个节拍，就比较容易体会他们细腻的内在感受。

（5）透过学生的面部表情、眼神、肢体动作和坐姿等非语言行为，促进对学生的了解。比如学生在抑郁时，头部往往向下垂，眼睛会朝下看，而且较呆滞，身体不灵活。而一个焦虑和紧张的学生，通常会不断绞扭双手，或在座位上坐立不安。

（6）学习做逻辑判断。例如，一个中学生告诉他的老师说他的父母吸毒，他很痛苦。教师在听了这几句话后，光凭逻辑判断，就能够想象这个学生必然是感到了恐惧、失望、伤心和愤恨、孤独，因为在情理上，在现实生活中，每个人遇到这样的情况，都会有同样的感受。

此外，在日常生活中，教师在自己的工作之外，还要多接触社会生活中的不同领域，尽量抽时间上网、看电视、读报、阅读时尚的杂志和畅销小说，同时对于社会的政治、经济、文化等各个领域都要尽量多的涉猎，从而开阔自己的生活面，加深对社会和人性的体会，扩展自己对生活体会的深度和广度，也就容易对人产生接纳心，容易体会在这个世界上每个人都是独特的，都是因为他们的生活经历和背景所塑造出来的。总之，教师的工作是与活生生的人打交道，与有不同生活经验的人打交道，需要帮助自己对人和生活增加敏感度。当我们对社会和生活不断深入了解以后，也就会明了这个世界是由复杂多样的价值观和不同心境的人组合而成的，对不同的人都要接纳和包容。这样也就不会轻易对别人做出主观性的责难和批评了。

二、真诚

在心理咨询中，咨询的效能主要是通过咨询员与来访者之间建立良好的人际关系来实现的。因此，所有的咨询员在他们的专业能力训练过程中，几乎将所有的学习重心放在如何与来访者建立良好人际关系上。而要建立良好人际关系，首先要求咨询员对来访者真诚。心理学家卡尔·罗杰斯把真诚看做是最基本的要素。而几乎所有的心理学家都认为，在心理辅导的过程中，咨询员除非能够在辅导的过程中，显示出一定程度的真诚，否则来访者就不可能改变。

这种构建良好人际关系的法则，对于如何建立良好师生关系同样有很大的启发和借鉴意义。在师生关系中，我们常常听学生说："我喜欢这个老师，因为老师对我很好。""我愿意听这个老师的话，因为老师对我所做的一切是为了我。""老师对我真关心！比我的父母还理解我……"学生对教师的关心接纳了，才能接纳教师对他们的教育影响。

在学校中，几乎每位教师对学生的期望都是出自良好的愿望，是出于对学生的好心。但是，不是每位教师对学生的良好愿望和好心都会得到学生的接受，或者说，不同的教师即使对学生有同样的教育要求和愿望，被学生接受的程度会不同。这其中的一个原因是不同的教师与学生在沟通时，学生对他们的真诚度的高低感受不同，或者是他们对学生的真诚度高低不同，教育的效果也就截然不同了。

因此，教师对学生首先要有爱，才会有教育的效能发生。从这个角度来理解，教师对学生的爱也意味着教师在与学生相处时，本身是一个真诚的人，对学生的一切用心都是发自内心的。在这部分的论述中，为了帮助教师更好地理解真诚在师生关系中的意义和作用，帮助他们在与学生沟通时更好地向学生表达出真诚，我们借鉴了心理咨询中的一些研究成果和训练技巧。

1. 什么是真诚

卡尔·罗杰斯把"真诚"解释为咨询员在心理咨询中，自由地表达真正的自己，表现出开放和诚实，是一个表里一致、真实可靠的人。也有心理学家认为真诚是真实、可靠、诚实的同义词；一个真挚诚恳的咨询员不会戴假面具，不会作种种的防卫来保护自己，他很愿意开放自己。教师对学生真情流露的关爱和基于尊重和信任的坦诚，往往可以使对方逐渐摘下面具，勇敢地学习以真实的自我与他人相处，也可以学习面对真实的自我。

2. 真诚对于人际关系的意义

人与人的相处，都渴望得到温暖，减少孤独感。然而，人们不是在所有的人际关系中都能够体会到诚实、信任、真实所带来的温暖感。人本主义心理学家亚伯拉罕·马斯洛曾经指出：当人际关系缺乏真诚的时候，就无可避免地会产生疾病。在很多的人际关系中，人与人之间缺乏信任，有隔离感，不能诚实地交往，这种交往的品质已经对社会、对人们自身带来了破坏力。

当人不能诚实相交，或生活在一个不能自在放松的环境中，彼此之间会有许多评判和相互的防卫，缺少相互的体谅和宽容。这种人际关系的后果是促使人们给自己戴上一个个假面具，并花费很多的心思来维护这种假面具。在这个过程中，要用很大的精力来遮掩真正的自己，会耗掉许多的精力，以致我们没有足够的精力来建设性的成长。

当人要伪装和戴假面具的时候，除了耗费大量的精力之外，还会使人产生极大的焦虑。现在有许多人处于人际关系不够真诚的工作环境中，每天工作回家后会感到非常疲惫、不愉快、情绪不良，因为内心世界没有得到人性的温暖和滋润，就会产生许多矛盾和莫名的烦恼、恐惧、悲哀。

3. 教师对学生的真诚是一种教育的力量

学生对教师施加的教育影响，是有选择性地接受的。这种对教育影响选择性接受的程度，决定于学生对教师的接受性程度。学生在与教师的交往中，只有感到被信任、可以充分展示自己的生命全貌之后，才愿意去回应给教师信任感和对教师生命全貌的接纳。这种师生之间的真诚沟通品质是通过双向互动来发展和培养的。学生对教师的信任度和接纳度有多高，对教师所传递的教育影响的接受度就有多高。

学生对教师的言行是否一致非常重视。在一个言行一致的教师那里，学生的第一个心理体验是安全感，他不必担心这个教师的要求前后不会一致，不必担心教师会情绪化地变更对学生的各种管理措施，他从一个始终能够对他们关怀的教师那里得到稳定的情感支持。学生与这样一个表里一致、言行一致的教师沟通，本身就是在学习如何进行健康的情绪管理；让自己在这样的一个榜样面前，学习做一个表里一致、言行一致的人，学习对人真诚、信赖的品质。

4. 教师向学生表达真诚的技巧

教师对学生的真诚是其本身工作的职业道德，教师对学生的真诚也是教育工作成功的一个重要条件，同时也是教师本身需要不断成长的生命品质。真诚，对于每个人而言，都是需要在平时的工作和个人修养中去培育、成长的重要品质。

在我们的生活和社会经验中，我们因为与不同人相处，与不同价值观和为人处世原则的人共处，也接受了不同的社会影响，其中有良性的，也有不良的。在这种社会化的过程中，我们戴上了一个个自我面具，在与人沟通时用于自我防御。教师在工作中，有时会习惯性地戴着面具与学生交往，不仅让自己很累，也会让学生感到他们的教师在做人上不真实，感到与他们沟通时在自我防御，只是在按教师既定的职责工作而已。

教师们很容易存在的这些人格面具，在本书的第一章关于"'好教师'的神话"中就作了描述。教师在与学生沟通时，往往会很在意在学生面前保持一个"我是一个教师"的完美形象，对自己要求太高，例如，期望自己在学生面前扮演"全人"的角色，久而久之，对做人应该保持质朴、诚实、坦白、对人无防备等真诚的品质淡化了，结果一言一行很容易从这个面具的自我保护感出发来影响学生。

那么，一个教师怎样来培养自己的真诚并表达给学生呢？有以下一些技巧可以借鉴。

（1）自我接纳与自信。自我接纳是指教师自己有勇气面对自己的内心世界，去探索、了解自己的内心世界中软弱、阴暗和脆弱的地方。在这个接纳自己的过程中，我们可以对别人的内心世界感同身受，可以体验到每个人都有他的软弱、阴暗和脆弱的一面，每个人都需要得到外界的支持和宽容。这种通过进入自身内心世界，正视自己内心世界的方法，本身就是一个真诚的品质在成长的过程——我们越是能够接纳自己内心世界中软弱、阴暗和脆弱等过去不愿去正视的一面，就越容易放下自我防御的面具，在与人沟通时流露出源自内心深处的真实，也就越有人情味，越能够对学生产生感染力了。

自信来源于对自己的了解和由此产生的安全感、自在感。当一个教师在心灵深处感到安全时，就不会耗费时间和精力来构建种种防卫面具，不需要伪装和防御。那么，自然地，他会给他的学生带来安全的沟通氛围，也有助于学生在这种人格力量的感染下接受教师的正面影响了。

（2）在恰当的时候勇于向学生承认自己也有无知、犯错误、存在错误偏见的时候，有分寸地向学生承认自己不是一个完美无瑕的人；因为接受了自己的不完美，也就可以接受学生的错误、无知和不完美；这样的表达可以缩短与学生的沟通距离。

（3）在与学生相处时，为学生事先制订教育计划时，要有明确的"教师意识"，但在对学生实施这些计划时，又要把自己当做是在与学生平等沟通的朋友。

（4）向学生表达真诚的自我体验，不是无条件自由地向学生"倾诉"自己的心态。如果说出来的亲身感受对学生没有帮助，就没有必要说出来。

三、接纳与尊重

心理学家卡尔·罗杰斯指出，在他的经验中，若咨询师的尊重和接纳是有条件的，那么，在他所不能完成接纳的事情上，来访者就无法做出改变和成长。其实，在所有的人际关系中，我们只有对对方尊重和接纳，才会发生有效能的沟通。

在师生沟通中，教师对学生的尊重和接纳，更是具有特殊的意义。

1. 接纳、尊重学生与教师的人性观

在传统的教育学和心理学中，关于什么是接纳和尊重有不少的论述，但是大多偏重在伦理学范畴的角度，即是从教师的职业道德的角度来论述的。至于教师究竟如何把接纳与尊重的品质贯彻在对学生的沟通中，还很少涉及。我们认为出现这种状况，有一个重要的原因是人们对接纳和尊重的理解还停留在逻辑概念的层面，还没有进入心灵沟通的层面。如果我们进入心灵沟通的层面，就会发现在师生关系中，与其说接纳与尊重是教师对学生的沟通态度，不如说它们是教师在哲学上的一种人性观。

从本质上讲，这种人性观倾向于"性善论"，即相信每个学生有无限发展的潜力；相信每个学生都可以通过教育和社会的影响，朝美好的方向发展，相信教师对学生的良好沟通会产生良好的影响——不论这种沟通效应的发生需要多长的时间。基于这样的人性观，教师才会对为什么要始终尊重与接纳学生有较深刻的认同，才会在教育工作中真正地做到尊重与接纳学生。相反，我们也可以想象，一个在人性观上不相信学

生具有无限美好发展可能性的教师，是不可能从内心深处对学生产生真正的尊重与接纳的。

接纳和尊重是这样一种心理品质：教师相信学生是一个有价值的人，并想尽一切办法让学生相信他自己是一个有价值的人；并帮助学生相信他的教师即使对他的某些行为和想法不认同，他在教师的眼中仍然是一个有潜力和价值的人。"即使我有缺点和不足，但是老师仍然喜欢我，仍然接纳我"，教师不要求学生先变得完美，先改正错误，然后才接受他，而是始终无条件地相信学生自己有朝好的方面去无限发展的可能性，这是接纳较完整的品质。事实上，许多学生在他们成长以后，常常会说是老师起初对他们无条件的接纳，才让他们对自己产生信心，产生改变自己的力量和动力。他们是在这种正面心态下真正进步的。

因此，从以上的分析看出，教师对学生尊重和信任的程度，在于他对人性的界定。

2. 尊重与接纳学生的内涵

尊重与接纳学生是教师对学生爱的表现，也是教师对学生爱的能力的体现。当一个教师真正地爱一个学生的时候，也是他对学生无限发展的可能性持有最大信心的时候。教师对学生的爱与教师对学生的接纳是紧密相连的。

然而，教师对学生的尊重与接纳不是对学生无理性的溺爱和迁就。对学生真正的尊重和接纳包含了以下几个方面的内容。

（1）对学生的尊重和接纳并不等于赞同学生的不良行为。一个学生作为一个人的价值与这个学生的不良行为是两个不同的区域，教师尊重与接纳的是学生作为一个人的价值，学生所做的一些行为，教师可以不接纳、不赞同。

（2）对学生的尊重和接纳并不等于教师不能拥有自己的价值观和思考模式。尊重和接纳学生是指教师即使有自己的价值观和思考模式，但仍然给予学生一个自由表达自己的空间；即使学生还没有进步，仍然给予学生鼓励。

（3）尊重和接纳学生也意味着当学生在表达他们自己的内心世界时，教师不轻易下判断，不对学生随便地做出"好"或"坏"的判断，只是先进入学生的内心世界去无我地聆听，给予学生充分的宽容去表达和自我觉察。

这个原则也可以用在普通人际关系中运用得很成功的"沟通者的誓言"来体现：即"无论我是否同意你的观点，我都将尊重你，给予你说出它的权力，并且以你的观点去理解它，同时将我的观点更有效的与你交换。"

（4）教师对学生不轻易下判断，给予学生充分的空间去表达自我，在内心深处始终对学生未来的良性成长持积极的态度。

总之，本章所论述的三个有效促进师生沟通的心理学原则，在我们的教育活动中，是需要一直贯彻整个教育过程的始终。它们是教师养成学生良好的素质所必须运用的沟通理念，也是教师用以提升自身对学生感受敏感度的途径。

练习：

以下是几组师生之间的对话。请你做出两个回应：第一个回应是你自己的对答，第二个回应是在我们为你提供的几种教师回应中选择出较佳的那一种。

一、同理心训练

1. 学生：我到学校来只是为了读书，并没有其他目的。我成绩不好你们可以惩罚我，但为什么一定要强迫我参加课外活动呢？真没道理！

你的回应是（如何来表达你对他的尊重与同理）：＿＿＿＿＿＿＿

＿＿＿＿＿＿＿＿＿＿＿＿＿＿＿＿＿＿＿＿＿＿＿＿＿＿＿＿＿＿＿

＿＿＿＿＿＿＿＿＿＿＿＿＿＿＿＿＿＿＿＿＿＿＿＿＿＿＿＿＿＿＿

你认为以下哪种教师的回应较好——

师1：学校注重学生的全面发展，鼓励学生不要读死书，你的说话太过分了。

师2：我知道你对学校的规定很不满，认为太不合理而感到气愤。

师3：你很不满校方规定你们一定要参加课外活动，觉得这种做法很不合理。

师4：你认为自己读书成绩好就够了，不必参加任何课外活动。

师5：学校的每一项决定都经过充分的考虑，你怎么可以如此偏激呢？

师6：你看，就是因为你只管读书，完全没有课余的活动，所以你的身体才这样瘦弱（肥胖）。

2. 生：老师，我很烦！我的父母只关心我的考试成绩，一点也不关心我这个人。我做他们的儿子，好像只是为了给他们脸上贴金，而不能有半点其他的差错。

你的回应是（如何来表达你对他的尊重与同理）：_____

_____

_____

你认为以下哪种教师的回应较好——

师1：你不喜欢你的父母。

师2：你希望父母多关心一些你其他的事情。

师3：你不喜欢你的父母给你的学习太大的压力，认为他们并没有在真正关心你，只是在为他们的面子考虑。

师4：你的自我期望和你的父母对你的期望不一致，导致你很矛盾。

师5：你希望你的父母与你像朋友一样来相处。

师6：你父母的话是对的，对一个学生来说，最重要的事情是学习嘛！

二、真诚度训练

1. 生：唉，我的成绩实在太差了！怎么办呢？……我实在讨厌自己，一点用都没有。上天也太不公平了，怎么人家就那么聪明，不必用功，成绩就那么好，而我却一无是处，同学都讨厌我，如果我成绩好，他们早就来巴结我了。

　　你的回应是（如何来表达你对他的尊重与同理）：＿＿＿＿＿＿＿

＿＿＿＿＿＿＿＿＿＿＿＿＿＿＿＿＿＿＿＿＿＿＿＿＿＿＿＿＿＿

＿＿＿＿＿＿＿＿＿＿＿＿＿＿＿＿＿＿＿＿＿＿＿＿＿＿＿＿＿＿

　　你认为以下哪种教师的回应较好——

　　师1：我很明白你的心境，你很讨厌自己的成绩，也很难过。但是你想想，你这样难过有什么用呢？再想想这个世界上有谁是完美的呢？我虽然是你的老师，但我也不完美。你千万不要对自己的期望过高，相反的，应该好好地学习接纳自己，然后才可以活得快活一点。

　　师2：我能体会你内心的忧伤，也明白你的确担心自己的学业。不过，有一点我想提醒你的是，你只是理科不好，其他科目的成绩还不错，你不要以偏概全。至于你感到孤单，我相信成绩不好，只是其中的一个原因，你愿意我帮助你详细来探讨吗？

　　师3：你的成绩差，是否就等于一无是处呢？因为成绩差就自卑，就怨天尤人，却不好好反省，真是令我失望！

　　师4：你很担心自己的学业，同时也很不喜欢自己。不过，只是羡慕别人的聪明是没有用的，倒不如我们来彻底探讨一下你理科成绩差的原因，希望能够有所改进。至于同学不想和你交往，很可能与你性格上的弱点有关系，这是不容置疑的。我知道你不喜欢我提这点，但每次看到你孤单不快乐的样子，我就想鼓励你勇敢地面对自己。

　　师5：你怎么可以证明人家不必读书就有好成绩？人家比你用功多了！

　　师6：看到你为学业成绩差而担忧，同时因此厌恶自己，我感到不安。不过，只是羡慕别人是不够的，倒不如彻底看看自己理科成绩差的原因。其实，我不觉得同学有像你讲的那样势利，我担心的是你个性上的缺点会让同学害怕与你交往。既然你感到孤单不快乐，你为什么不勇敢地面对自己呢？

2. 生：我真高兴能够找到你这样的老师。你知道吗？在我的心目中，你是世界上最明白我心意的人了。没有了你，我实在不知道怎么办，现在我觉得我自己充满了生命力……啊，我好久没有这种感觉了！

你的回应是（如何来表达你对他的尊重与同理）：_____

_____

_____

你认为以下哪种教师的回应较好——

师1：看见你的态度变得如此积极，我实在很高兴，我很开心能够对你有帮助。不过，我觉得我们在一些事情上仍旧要继续沟通的。

师2：我能够帮助你，当然是好事。不过，你不要给我戴高帽子好吗？

师3：哈哈！你知道吗？我与你有同样的感觉。我们沟通得很愉快。

师4：我很开心对你有帮助，也实在为你变得积极而高兴。不过，你有犯了随便给人戴高帽子的毛病哟！

师5：其实一切是你自己努力的结果，我根本就没有为你做任何事情，何必客气呢？

三、接纳与尊重训练

这是一段学生寻求教师帮助的对话。请你看完这段对话后，尝试用你自己的方式来回应这个学生，帮助这个学生解决问题。要求在这段对话中要表达出接纳与尊重的品质。

生：我来找你，是为了要听听你的意见，我的论文该写些什么。

师：你拿不定主意该选择什么论题，对吗？

生：确实这样。我苦想了几天，却想不出什么结果来。我想您有主意。

师：你为此大伤脑筋，却没有进展。

生：别的同学写了些什么而能够构成一篇好文章呢？

师：你需要一个能构成好文章的论题是吗？

生：是的。我一定要让这篇文章得"优"。这样一来我这门功课也就可以得"优"了。

师：看来你觉得有一种强大的压力非要你得"优"不可。

生：对啦！要是我得不到"优"，我的父母会发火。他们总要我跟我的妹妹一样好。她的脑筋好。

师：所以你觉得他们期望你在学校里也要跟妹妹一样好。

生：是的。可是我不像她。我有别的兴趣。我希望父母能接受我的本性。我的妹妹光知道读书。

师：你觉得你比起妹妹来是不同类型的人。你希望你的父母能够看清这一点。

生：您知道，我从来没有把这种感觉告诉他们。我想现在我要告诉他们。也许他们不会逼我这么紧。

师：我想你应该把这种感觉告诉他们。

生：对的，要是他们不再逼我，我也就不至于为了分数这么烦恼。我甚至可以多学一点。

师：你可能从学校得到更多。

生：是的，那么我就可以以自己感兴趣的论题来写文章而得到一些东西。谢谢您帮我解决了问题。

师：你随时可以再来与我谈谈。

3

人际交往效应与师生沟通

　　一批师范大学的学生在一所中学里实习。由于他们和中学生的年龄相差不多，所以经常和学生在一起说说笑笑。学生们都说："这些新教师一点儿也没有老师的架子。"这时，一位老教师语重心长地教诲这些实习生："你们这些年轻人啊，真不知道怎样处理师生关系。老师就是老师，学生就是学生，这和一般的人际关系是完全不一样的，如果你们不懂得这一点，弄得学生以后看到你们都不怕，恐怕他们就会骑到你们的头上来了。"

　　看来，这位老教师比较注重的是师生关系的特殊性。但是，师生沟通首先是一种人际交往，需要遵循一般人际交往的普遍规律。只强调师生沟通的特殊性或普遍性是不全面的。

　　一般说来，教师首先掌握的是与人打交道的一般规律，然后才是掌握师生沟通的特殊规律。这就是先学会"做人"，然后再学会"做老师"的道理。所以，教师首先要认识一些人际交往的规律和这些规律产生的心理效应，以及它们在师生沟通中的应用方法。

第一节　事半功倍的首因效应和近因效应

首因效应和近因效应其实最早来源于普通心理学中关于记忆的研究。心理学家发现，当人们背诵一篇较长的材料时，印象比较深刻、不容易忘记的是材料的开头和结尾部分。而中间部分的材料会因为"前摄抑制"和"倒摄抑制"以及疲劳抑制等原因忘记得较快。后来人们发现，其实人际沟通时这个原理同样适用。

一、首因效应的应用

"首因效应"又称为"第一印象"，是社会心理学中有关人际知觉的经典内容。

社会心理学家通过许多实验证明：在人际交往中，对某人的最初印象在很长一段时间内影响着对该人以后一系列心理及行为特征的解释。教育心理学也据此认为：教师给学生的第一印象对教师威信的形成有着重大的影响。

许多教师在师生沟通的实践中都很重视"首因效应"的运用。这里，我们先来看一位班主任老师第一次亮相时的情境：

一位教师被派去担任一个"乱班"的班主任。当他第一次走进这个班级的教室时，看到的是这样一幅情境：大部分课桌椅被拼成了几个"摊子"，每一个"摊子"的边上都坐着几位同学在挥舞着扑克，鏖战得难分难解。看到新班主任进来，他们才恋恋不舍地停止游戏。教师让大家把桌椅整理完毕，站在了讲台前。这时，全班同学都神色紧张地坐着不吱声。

这位教师微笑着开始说他的第一句话："同学们，作为新来的班主任，我的第一发现就是你们学习'54号文件'的积极性很高。其实我在这方面也很有研究。"

面对学生略为放松、又感到诧异的神情，教师接着问："你们知道为什么一副牌要由 54 张组成吗？为什么一副扑克牌要分 4 种花色、每种花色只有 13 张呢？扑克牌中有 K、Q、J 等人物形象，这些人物代表的是谁呢？"

学生们的脸上产生了热切求知的表情。于是，教师就简单地介绍了扑克牌的由来，4 种花色的英文名称及其象征，K、Q、J 等人物形象代表着哪些历史人物等有关知识。学生一时听得都入了迷。

这时，教师不失时机地说："大家想想，小小一副扑克牌中就蕴藏着这么多各种各样的知识，可见，知识在任何地方都有用武之地。那么，大家是否愿意从今天起，跟着老师一起去遨游知识的海洋呢？"

回应教师的是一片热烈的掌声。

在学生心目中，聚众打牌换来的肯定是教师的一顿严厉批评。然而，这位新班主任却说出了一番令他们始料不及的话。虽然这番话本质上是从正面引导学生，但还是让学生听上去感觉耳目一新，而且非常愿意接受。教师就这样通过"首因效应"使学生对自己产生了知识渊博、语言风趣、亲和力强等良好的第一印象，从而给以后的班级工作打下了良好的基础。

由于教师职业的特殊性，他们经常调换自己所教的班级和学生，有时还可能到其他学校以及其他企事业单位去讲课。与从事其他职业的人相比，教师一生中"第一次亮相"的机会很多，所以应懂得"第一印象"的重要性。

一般说来，教师要做好自己"第一印象"的管理，可以从做好"五个一"着手：见好第一次面；讲好第一次课；批好第一次作业；开好第一次班会；处理好第一件班级事件。

当然，要真正让学生对你形成良好的第一印象，主要还有赖于教师本身各方面素质的提升，而不能指望仅仅靠一时的蓄意表演。

二、近因效应的应用

当人们互相接触时间长了、彼此十分了解以后,首因效应的作用就会大大下降,而沟通结束时的语言信息就相对变得更加重要。所以,有人总结说,在熟人之间沟通时,"最后的就是拍板的"。师生沟通结束时,教师可以从以下几方面着手,以便更好地发挥近因效应的作用。

1. 总结

例如,老师在班会结束时说:"各位同学,今天老师虽然说了许多有关班级的问题,但是总结一下,无非是三个方面的内容、12 个字。第一……第二……第三……"

言简意赅的总结,使学生很快就领会了教师今天讲话的要义。

2. 补漏

"最后需要特别说明一下的是,今天老师说的教辅书问题,并不是说每个学生必须得买,因为……"

及时的补漏,避免了一些可能的误解,不至于造成自己许多今后工作中的被动。

3. 安抚

在疾言厉色地批评了一位同学之后,这位教师停顿了一下,最后一边轻轻地拍着这位同学的肩膀,语调温和地说:"对不起,刚才我很激动,批评你严厉了一点,但这是真心地为你好。因为你在老师的心目中还是一个好学生,所以对你要求会比别人高。回去后多想想今后如何进步,好吗?"这位同学的情绪平和了一点,若有所思地离开了办公室。

如果这位教师在谈话结束时这样说:"说了半天,你怎么一点反应都没有,真是朽木不可雕也,回去吧,咱们走着瞧!"可以想象,沟通的结果将会怎样！

第二节 不可忽视的"动机效应"

心理学认为，人从事任何活动都是由需要产生动机、再由动机激发行为的过程。而动机作为人的各种行为的内在原因，一直是心理学研究的重点。研究人际沟通时同样要重视这个基本的出发点。

一、沟通动机的决定性作用

我们先来看看日本心理学家曾做过的一次实验：

一家珠宝店适逢 20 周年店庆，让一位声音甜美迷人、语气彬彬有礼的店员小姐给几十位老顾客打电话。心理学家要求把这些老顾客分为两组。

对第一组顾客，店员小姐的电话这样开头："某某先生/女士：您好，我是某某珠宝店的光子。后天，我们珠宝店将隆重庆祝开业 20 周年，到时会举行隆重的庆祝活动。有烟火燃放、模特表演、摇滚乐演出……此时此刻，我们都十分想念您这位老顾客。在此，我谨代表我们商店的老板和全体员工，对您过去经常光顾我店表示最衷心的感谢，并祝您全家幸福快乐！"

对第二组顾客，店员小姐的电话也是以同样的内容开头，但最后一定还添上一句话："顺便说一下，因为后天是商店的大庆，所以有一部分商品会以非常优惠的价格出售，如果有空，请您不妨来看一下。"

对两组顾客的反应用三个指标来衡量：

（1）听完小姐的开场白后，顾客是否还有兴趣和小姐继续交谈？

第一组的顾客绝大多数都和小姐继续交谈了一段时间，最长的谈话持续了 20 分钟左右。谈话中，不少顾客还情不自禁地说了商店及小姐的一些好话。而第二组顾客和小姐继续交谈的人数明显减少，只有极少数人问了几句有关打折商品价格的话。

（2）在店庆活动中，哪一组的老顾客到场较多？

第一组的老顾客到场多一些，其中还有人提出想见见那位"非常客气、很善解人意的"打电话的小姐。但第二组顾客来得较少，即便来了，也是只关心有哪些商品打折。

（3）通过以后的电话回访，两组顾客对上次光子小姐电话的感觉如何？

第一组的老顾客绝大多数对电话的感觉较好，觉得这家珠宝店重人情，说打电话的小姐素质真高，等等。而第二组顾客绝大多数对电话印象不深，也没什么好感。还有人说："这不就是个一般的促销电话吗？无非是想赚我们的钱而已。"

心理学的这个实验证明：在人际交往刚刚开始时，人们首先是揣摩、考虑对方的交往动机，尤其是考虑这种动机主要是"利己"还是"利他"，然后才会决定自己应该做出怎样的行为反应。师生沟通同样如此。

二、动机效应的应用

根据动机效应，教师在师生沟通中应该重视以下 3 个方面的问题。

1. 认真反省自己的沟通动机

教师每一次与学生沟通以前，先要扪心自问一下：我是否真的为了学生变好？我对学生是否做到了百分之百的真诚？我是否借口为学生着想却夹杂着自己的私心，等等。教师千万不能低估学生对自己行为动机的判断力。因为教师是否真正为学生着想是学生内心最在乎、也最敏感的问题。而且，从上学读书开始，在与各种教师的不断交往中，他们也早已逐渐形成了对教师行为动机的评判能力。

2. 尽量准确地表达你的良好动机

常见的情形是，教师一般都抱有良好的沟通动机，但常常被学生误解。主要原因是教师不善于把他们的真实动机清晰准确地表达出来。

请看下面的例子，高考结束后，几个分数觉得不理想的学生很想复读，就和班主任谈。班主任坚决反对，还罗列了一大堆理由。其实，这些理由大多数是正确的。可是，学生们什么都听不进去。他们认为："老师为什么苦口婆心啊，无非是为了班级的升学率高一点罢了。"

以上情境中，班主任要真正达到沟通的目的，最好是要根据每一位学生的个人特点来分析他们的升学策略，并且有情有理，再看下面的例子：

学生为了悬挂陈列品而险些摔出窗外，教师随之发怒地大叫："你给我下来！五年级的人了，脑子还老进水！"

学生去郊外远足，不小心迷路了，教师找到学生后愤怒了："以后绝对不准离开队伍！你不懂得遵守规定吗？"

以上两个情境中，教师表面上传达给学生的只是一种自己的"愤怒"情绪，而学生就很可能不理解教师在这种情绪后面关心学生的真正动机，把教师的这种情绪理解为责怪、责骂、追究责任等动机。这就是许多教师经常抱怨"好心往往没好报"现象的主要原因。那么，根据动机效应的原理，你可以想象一下，如果是你遇到上述两种情境，你会怎样表达呢？

所以，教师需要经常思考自己的表达方式，让学生真正感受到自己的"良苦用心"，当学生认定教师一方的沟通动机是善意的，师生沟通才能有良好的开头。

3. 提升引导对方的沟通动机

有人曾经问："我的沟通动机良好，可是对方的动机不良，那怎么办呢？"记得有哲人说过：人的本性一半是天使，一半是野兽。所以，面对上述状况，沟通的上策是激发、引导对方的天使本性。如果沟通方式不当，就可能引发人的不良本性，以致造成恶性的后果。

经常看到的情形是这样的：

教师：老师批评你还不服气是不是？你还想怎么样？还想骂人……哇，拳头挥什么挥，还想动手啊。我就知道，你天生是个坏坯子！

学生的反应你自己可以想象：好！我就是个坏坯子！我豁出去了。你准备怎么样……

如果教师换一种沟通方式，效果就可能完全不同。

教师：你是个大男孩了，同学们都说你人长得阳光，有男子汉气概。脾气大气，善于和人积极主动的沟通。那么，今天这件事，老师想看看能不能用一种建设性的态度来思考和处理。其实，老师在批评你之前就知道，像你这样的孩子，一定会正确对待的，你说是吗？

把人想得好一些，人真得就会好一些。这在心理学上就称为"自我实现的预言"。当然，不能过分理解这个原理，以致不切实际地滥用。

第三节　营造温馨的"自己人效应"

当学生了解了教师的良苦用心后，教师还需与学生进一步拉近心理距离。这时，更多地寻找和学生的共同点，让他们视你为"自己人"，使双方的感情不断融洽，沟通就能深入下去。这就是人际沟通中的"自己人效应"。

一、"自己人效应"的魅力

一位高中新班主任的就职演说就充分运用了这种效应：

"同学们，你们都很年轻，但我也比你们大不了几岁。看到你们，使我马上想起了自己的中学时代，那时我就在离你们学校不远的某某中学上学，每天都要路过你们学校，所以我对你们学校本来就挺了解的。

我做学生时，也有毫无节制地看武侠小说、经常和老师顶嘴等缺点。对于老师和家长的教诲，我总是觉得他们太啰唆，但现在想想有点后悔，因为知道他们真正是为了我好。有空时我想给大家讲讲我做学生时的一些经历，也许对你们的成长会有点启发。

我跟你们一样，有很多共同爱好。我喜欢唱歌、打球、上网，有时还会看看漫画书。上大学时，我是学校合唱团和系篮球队的队员。我最喜欢的歌星是周杰伦，也觉得现在流行的街舞挺好看，更喜欢看 NBA 的球赛。只要你们先把功课学好，我会在业余时间和你们一起搞各种活动。

今后，在我和你们相处的日子里，我不但会在学习上帮助你们，还会和大家同忧共患。如果你们心里有什么解不开的疙瘩，尽管和我来谈。因为我相信，我不但会成为你们合格的班主任，还一定会成为大家最好的朋友！"

听完这番话，同学们的脸上都露出了欣喜和兴奋的神色。这位班主任也兴奋地体会到，自己和同学们的第一次沟通成功了。

从这位班主任的就职演说中，我们可以看出形成良好的"自己人效应"的几个重要因素。

二、"自己人效应"的应用

1. 寻找共同的"认同点"

"物以类聚，人以群分"，这位教师在短短的几句话里，涉及了文艺、体育等多方面年轻人喜欢的热点。同时，通过对自己的经历、特长、爱好以及年龄、籍贯、毕业院校等的介绍，使学生感到教师在许多方面跟自己有共性，心理距离已经不知不觉地拉近了。这个道理其实一般人都明白。但是，能否有意识地、主动地、熟练地运用好，又不是一件容易的事情。

下面就是心理学家罗列的一些制造"认同点"的"热键"：

籍贯——老乡见老乡，两眼泪汪汪。

爱好——文艺、体育、收藏、膳食等各方面都可以。

经历——学习经历、职业经历、毕业院校、甚至旅游过的地方等。

人缘——共同认识的人、哪怕并不熟悉只听说过而已。

价值观——宗教信仰、政治观点、人生理想，等等。

……

2. 适当"暴露"自己的缺点

社会心理学家的实验表明：在人际交往中，最受欢迎的并不是那些看上去能力很强，又表现得天衣无缝、滴水不漏的人；而是那些能力强，但偶尔又犯一些无伤大雅的小错的人。因为他们是"人"、而不是"神"。

这位教师在注意正确导向的前提下提到了自己学生时代的一些小缺点，使学生感到这位教师确实很真诚，值得自己信赖。

心理学家发现，人际沟通中人的有些缺点实际上属于可爱的"缺点"。例如：对"隐私"的理解比较宽松，愿意主动、但也适度地告诉对方自己的一些家庭、爱情、年龄、收入等方面的情况；在经济方面不是太精明，用钱时并不斤斤计较；天真，富有孩子气，人情世故方面有点幼稚，等等。

3. 主动表达"交心"愿望

这位教师最后对学生的一番表白热情洋溢、发自肺腑，使得年轻的学生们不可能不被感动。这种感动主要来源于教师表达出的主动沟通愿望。许多人的沟通立场是：你怎样对待我，我就怎样对待你。无疑，这是一种以自我为中心，而且较为被动的沟通立场。从事着"教书育人"崇高职业的教师，应该信奉的是更主动、更高层次的沟通立场：我想让你怎样对待我，我就先怎样对待你。

当然，营造"自己人效应"来源于教师对学生发自内心的热爱，而决不是无原则的阿谀迎合或矫揉造作。

第四节　关键的"影响力此消彼长"效应

沟通一般都有明确的目的，因而就产生了究竟是谁影响谁这个关键问题。在师生沟通中，教师在绝大多数情况下希望对学生产生影响。但如果不能达到目的，反过来的情形就难说了。所以，增强教师的影响力是促进师生沟通效果的治本之策。

一、影响力中的禅机

下面这个哲理故事很能说明这个道理：

一个小和尚跟着老和尚学禅。

一天早上，老和尚给小和尚布置功课。老和尚指着禅房里的一缸金鱼对小和尚说："今天师傅布置的'功课'是，你要眼睛一直尽量不眨地盯着金鱼看，同时对着缸里的金鱼不断地点头、点头、点头。"小和尚问："师傅，是不是时间长了，缸里的金鱼也会向我点头啊？"师傅说："也许是吧。"然后，老和尚就出去了。

小和尚看着这些摇头摆尾、嘴巴一张一合、游来游去的金鱼，心里将信将疑。按照老和尚的吩咐，小和尚开始站在鱼缸前，对着金鱼不断点头。一个上午下来，已觉得疲惫不堪。这时，老和尚回来了。小和尚对老和尚说："师傅，它们还是老样子。"老和尚又说："这说明你的心还不够诚。"

下午，小和尚对着金鱼继续点头，一直点到黄昏。小和尚已经头昏眼花，浑身乏力。等师傅一回来，小和尚沮丧地对老和尚说："师傅，它们还是老样子！"老和尚还是说："这说明你的心还是不够诚，晚上继续做。"

晚上，小和尚只好硬撑着继续做师傅布置的"功课"。等到夜深人静时，师傅回来了，他看到的是这样一幅情景：小和尚的头不断地左右摇动、双膝摆来摆去、嘴巴一张一合，活脱脱一条鱼缸里的金鱼！

看来，老和尚是想让小和尚通过自身的体验懂得这样一个道理：如果你不能影响你的沟通对手，就一定会被对手所影响！

对师生沟通来说，这确实是一条最为重要的金科玉律。因为教师如果不能对学生发挥自己的影响力，那么沟通的目的就无从实现。反之，你还很有可能被学生所左右，陷入尴尬、甚至"悲惨"的境地。

二、怎样增强教师的影响力

增强教师的影响力涉及许多方面的因素，但以下几个方面的因素十分重要。

1. 权威效应
如果教师的专业知识、业务技能、学历背景等都令学生佩服，他对学生的影响力就大。所以，在当前学习型的社会中，教师应该让自己各方面的"资本"不断增值，以应对变化速度越来越快的大环境。

2. 品德效应
教师的个人品质、为人处世方式等都能以身作则、为人师表，他对学生的影响力就大。

在中国的传统文化中崇尚的是学高为师，身正为范。司马光的名言是"德者，才之帅也"。所以，在中国人的心目中，一个人的品德出了问题是最被人看不起的。如果是为人师表的教师，则更为严重。在政治心理学的一些调查中发现，如果中国人经济和生活作风出了问题，不管工作和其他方面的表现如何，人们对他的评价就会一落千丈。所以，教师在以上两方面的洁身自好尤为重要。

3. 性格效应

教师的性格主动、坚毅、果断、公正、热情，他们对学生的影响就大。

值得指出的是，在心理学的性格分类中，有 I 型性格和 ME 型性格之分。I 型性格的人做事比较我行我素，不是很在乎别人对自己行为的评价。而 ME 型性格的人则为人处世十分谨慎，尤其在乎别人对自己行为的评价。有心理学家认为，每天花多少时间照镜子，往往是区分这两种性格人的一个重要指标。如果教师是个 ME 型性格的人，又不能主动地重塑自己的性格，他就不适合当教师。至少不太可能成为一名优秀的教师。

当然，教师的影响力还与他们的语言艺术、形象体态等其他因素有关。这方面本书的后面几章有较为详尽的论述。现在已经有人提出要开设教师影响力训练、教师魅力塑造等课程来专门训练教师，使教师能最大限度地发挥自己的影响力。

练习：

一、如果你马上要担任一个新班级的班主任，请根据自己的特点设计一个上任演说的方案。

二、回想自己的教师生涯，举出几个自己"好心往往没好报"的案例，分析原因和改进的措施。

三、分析自己与学生有哪些认同点，看看还有哪些"自己人效应"的因素自己没有用足。

籍贯：＿＿＿＿＿＿＿＿＿＿＿＿＿＿＿＿＿＿＿＿＿

爱好：＿＿＿＿＿＿＿＿＿＿＿＿＿＿＿＿＿＿＿＿＿

经历：＿＿＿＿＿＿＿＿＿＿＿＿＿＿＿＿＿＿＿＿＿

家：_____

值观：_____

其他：_____

、制订一个增强自己影响力的计划。

权威性：_____

品德：_____

性格：_____

沟通艺术：_____

其他：_____

4

师生沟通中的障碍和错误

　　网上曾经有人披露过某中学教师的损人语录，看了以后让人感到简直不可思议。什么"读书是勤奋和智慧的结晶，你们这帮人，勤奋约等于零，智慧等于零，加在一起恒等于零。我跟你们说啊，你们考上重点大学的几率和我当总统的几率是一样的"，什么"这么笨的小孩，把你们教好那是一项科研成果，我马上可以调到中科院去了"……

　　看了这些内容，你可能想到的是什么：这个老师一定有心理疾病。这个老师的沟通语言和模式有问题。

　　良好的师生沟通取决于多种条件。其中一个最重要的条件是双方的心理是否健康。只要沟通的一方存在一定的心理障碍，沟通就难以顺利进行。作为沟通的主动一方，教师的心理健康问题尤其重要。过去教育心理的许多研究一般只注重学生的心理健康，而相对忽视了教师本身的心理健康问题，这在某种程度上可以说是本末倒置。因为只有心理健康的教师才能培养出心理健康的学生。同时，学生的心理健康也不可忽视。

　　其次就是双方使用的沟通模式和沟通语言。"说什么"和"怎样说"都十分重要。如果采用了错误的沟通模式和沟通语言，沟通的效果一定是南辕北辙。问题是，在许多教师"说什么"和"怎样说"方面的问题比比皆是。

第一节 师生沟通中常见的心理障碍

一、教师常见的心理障碍

近年来确实有不少有关教师群体心理健康问题的调查和报道，读后使人忧心忡忡。中国人民大学公共管理学院组织与人力资源研究所和新浪教育频道联合启动了"2005 年中国教师职业压力和心理健康调查"，结果如下：

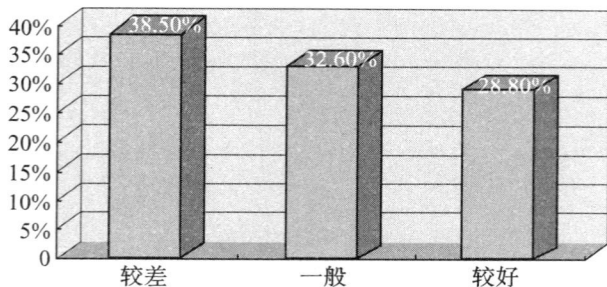

（数据来源：新浪教育频道）

中国教师心理健康状况分布图

调查结果表明，有 38.50% 的被调查教师的心理健康状况不佳，只有 28.80% 的被调查教师心理健康状况比较好。

国内现在正在提倡素质教育，素质教育的一个重要方面就是学生的心理健康。而从调查结果来看，有近 40% 的被调查教师自身的心理健康状况不佳，心理健康状况不佳的教师如何去培养心理健康的学生？我们又如何能保证这批教师的教学质量与效果？因此，在我们推行教育与教学改革的同时，必须高度关注教师的心理状况。

心理学家发现，师生沟通中教师常见的心理障碍主要有以下几种。

1. 唠叨

加拿大教育心理学家林格伦等曾在一部教育心理学著作中指出：许多教师都患有一种可以称为"唠叨"的心理疾病，而且越是资深的教师越感觉不到这种病症。"唠叨"病的主要症状是话特别多、啰哩啰唆，并经常不分场合、事无巨细地指责学生，还认为自己一直是在"诲人不倦"。请看如下一例：

一日之计在于晨。晨会课上，学生们都精神焕发，准备迎接新一天学习生活的挑战。可是班主任却开始了今天的第一场唠叨：

"小刚啊，你的记性可真好！昨天忘记带算盘，今天又没带来！看来以后要找个医生来诊断一下，你是否真的患有健忘症！"

"看你们唧唧喳喳的，今天好像很开心啊？昨天你们的外语考得怎么样?! 你们难道都不懂什么叫做羞耻？今天放学统统给我留下来补课！"

于是，学生原有的好心情被一扫而光，大家都开始感到："今天比较烦，比较烦！"

其实，如果把这些批评改在下午放学时进行，就可能减少许多学生的反感，效果也许会好得多。

"唠叨"病的根源在于教师本身对师生关系的错误定位。由于传统教育赋予了教师与学生的不平等地位，伴随着教学生涯的增长，教师一般会越来越习惯于维持自己的权威地位，越来越不在乎学生的心理感受。因为，不管教师说什么学生都必须听。长此以往，一些教师就形成了这种自己感觉不到的坏习惯。

"唠叨"病的主要危害是让学生对教师产生越来越严重的厌烦感，认为教师真是一个"烦老师"，一有机会就想从教师身边消失，因此，教师即使有再好的沟通愿望也无法实现。

所以，一旦发现自己有"唠叨"病的症状出现，教师首先必须反省自己的师生观是否正确。其次应该经常考虑自己讲话的时间、地点、对象和场合是否适当，检查自己讲话的数量与质量之间的"效率比"。

否则，还真可能患上令人讨厌的"唠叨"病，并且逐渐演变成久治不愈的"慢性病"。

2. 强迫癖

强迫癖的表现有两种：一种是将自己喜爱的观念或事物强加于人；另一种是将自己不喜欢的观念或事物强加于人。教师的强迫癖一般属于前一种。一些教师常常认为自己的意见是最好的意见，把自己的喜好强加给学生。把学生视为灌输自己一切价值观的最好对象。

例如，一个高二的学生虽然文理俱佳，但他很喜欢文科，打算在高三时转入文科班读书。这时，酷爱理科的班主任每天都对这个学生进行"策反"，翻来覆去地向这个学生灌输自己的想法：过去说掌握数理化，走遍天下都不怕。现在看来还是对的嘛。你看，出国的人也是搞理科吃香。所以，我坚决反对你学文科！有句古话说得好："不听老人言，吃亏在眼前"，以后你一定会懂得我是真正的为你好。所以，不管怎样，现在我得全力阻止你的想法。也许，一个未来的文科人才就此被扼杀在摇篮中。

又例如，一位教师从小就学习弹钢琴，非常醉心于古典音乐。所以，他希望他的学生们也能跟自己一样。可是，现在大多数学生喜欢流行音乐。于是，这位老师就经常对学生说古典音乐如何优美，流行音乐如何庸俗。如果在学生的书包里发现了流行音乐的磁带、CD 等，他还会奚落或训斥学生一番。甚至在家长会上，他还要求家长们在家里尽量禁止学生听流行音乐。这位教师的做法使学生非常反感，有一次他的一番话还差点引起绝大多数学生的"公愤"：他在大大赞扬了世界三大男高音后，还顺带讥讽了几个流行歌手。而这几个流行歌手恰恰是这些少男少女心中的偶像！

与有强迫癖的教师交往和沟通，学生不但不会有愉悦的感觉，而且还会有剥夺了自由和自主权的感觉。所以，学生碰到这样的教师，只会产生"躲着走"的念头。造成强迫癖的主要原因是以己度人，甚至还有些自恋和自大的性格。所以，教师应该经常对自己的自我意识做一些反省。强迫癖的克服，主要是要真正懂得了解与尊重他人的情感和需要。"己所不欲，勿施于人"，教师经常进行"换位式"思考是一种较为有效的方法。

当然，不断接受各种新思想、新理念，不断完善和塑造自己的良好性格才是克服这种心理障碍的根本途径。

3. 角色固着

角色是一个社会学的名词。它是指一个人根据社会的舆论规范和约定俗成的习惯所表现出的思维倾向、行为方式等。人们在社会生活中扮演着许多不断变化的角色。一位教师就可能要扮演教师、妻子、女儿、媳妇、领导、职工、乘客等多种不同的角色。如果一个人不顾环境、场合等因素固守一种角色，就是角色固着。角色固着会给人际沟通造成较为严重的障碍。对于师生沟通来说，情况也是如此。

一些研究指出，对学生来说，教师的角色是多种多样的。例如，有人罗列了教师的10种不同角色：①社会的表征；②行为的示范者；③知识的来源和学习助手；④学生行为的裁判和调解员；⑤团体领袖；⑥自信的支持者；⑦代理家长；⑧不良行为的侦探；⑨保姆；⑩泄愤的目标或替罪羊。

当教师扮演的角色十分适宜时，师生沟通就会比较顺利。如果教师固着于某种角色不善转换，师生沟通的效果就会受到影响。

例如，在迎接新世纪的班会上，学生们唱的唱，跳的跳，都兴奋异常。这时，学生们的胆子比平常大了很多。他们把一贯不苟言笑的校长也硬拉上了台。这位校长接过话筒，勉勉强强唱了一首歌后，又恢复了平时的角色，用四平八稳的声调开始作起了报告："同学们，今天大家都很高兴，我也很高兴。可是，我们千万不能忘记今年我们面临的严峻形势。对我校在区里'争三保四'的艰巨任务，大家一定要在思想上引起重视。不能掉以轻心。大家要努力学习，注意养成良好的学习习惯。要……"于是，每个人的行为都开始拘谨起来，情绪也逐步降温，整个会场再也不能恢复到原来的欢乐气氛中去了。学生们都在心里说："这个校长可真不识时务，让人扫兴。"

要克服角色固着的心理障碍，就要学会调节角色行为，即根据身份、场景的变化而改变自己的举止。调节角色行为在一般情况下是不难做到的，因为人人大脑里都有一套警戒调节系统，它会根据情况随时调节人的行为。但如果在非常熟悉的人面前，这套警戒调节系统就会"渎职"，甚至连对方对你有所暗示时还不能察觉。教师们在他们的学生面前就经常会犯这类错误。因此，教师要克服角色固着的心理障碍，关键是要在司空见惯的场景中保持清醒的自我意识，经常告诫自己要"审时度势"，把自己塑造成一个成功的沟通好手。

二、学生常见的心理障碍

1. 自卑

自卑的主要表现是缺乏自信。自卑的人在人际交往和沟通中表现为想象成功的体验少，想象失败的体验多。这种心理状态在与权威、长者、名人交往时表现得尤为突出。

造成学生自卑心理的原因大体上有以下三种。

（1）对自己的期望过低或过高。对自己的期望过低的人把自己的交往和沟通圈子局限于一个狭小的范围内，以与身边人的自然交往为满足。他们从来不想去主动开辟新的交往和沟通渠道，建立新的人际关系。对自己期望过高的人在与人交往和沟通时总是害怕失败，担心遭到别人的耻笑和拒绝。

（2）大人的期待和评价。如果孩子从小开展各种重要活动都由大人包办代替，不让他承担独立的人际交往和沟通任务，那么，他就会安于现状，依赖他人，没有主动性。这样的孩子上学以后，教师、同学也一直会认为他缺乏交往能力而不给他锻炼机会。长此以往，孩子本身也乐意接受这种评价，潜移默化地养成了自卑心理。

（3）人际交往和沟通中的消极体验。有些学生本来并不自卑，但由于种种原因，他们在人际交往和沟通中经历了许多失败，并把这些失败消极地归因为自己的无能，从此变得自卑起来。

对于有自卑心理的学生，教师可以从以下几个方面加以引导。

（1）教会学生全面客观地分析自己。"人贵有自知之明"，这句名言对有自卑心理的人来说非常重要。但他们对这句话的理解和一般人正好相反——挖掘自己身上的闪光点才是关键所在。教师是除了父母之外最了解学生的人。因此，他们一旦发现了孩子身上的优点，就应该及时认同并加以公开表扬，让这些孩子逐步地增长自信心。然后，要教他们学会扬长避短，不断发掘和发挥自己的才能和潜力。

（2）调节好学生的认知方式。首先，要让学生学会正确地归因。不要把一切挫折和失败都归结到自己的能力等因素上，而是要客观地分析各种实际情况，把主要精力放在提高解决各种实际问题的能力上去。其次，要让学生认识到世界上任何事物都具有两面性，懂得如何辩证地对待并且转化自己的一些弱点。

（3）塑造学生良好的性格。教师要有意识地让这类学生担任某些工作或职务，通过实际锻炼将他们身上胆小、敏感、优柔寡断、应变能力差等消极性格特征逐渐转化为独立性强、开朗、善于社交等积极特征，以增强他们的心理优势，逐步地真正战胜自卑。当然，要让学生真正地战胜自卑是一项长期细致的"心理工程"。其中最关键的因素还是教师对学生发自内心的挚爱。因为只有当学生感受到人们对他的真正关爱时，才能在心中树立起对自己的信心。

这里我们来看一个国外孩子的真实感受：

我是一个残疾女孩，天生一张豁嘴。从 6 岁上学开始，我便感到自己是一个很难看的小女孩，没有人会爱我这个"丑八怪"。

二年级时，我们班级来了一位新班主任。她身材丰满，面容姣好，全身散发着阵阵的幽雅香气。学生们都很愿意和她亲近。可是，我还是不大敢和她主动说话，因为我一直很自卑。

学校一年一度的听力检查开始了。我记得，去年的方法是老师让我们捂着一只耳朵，听她说几句轻轻的耳语。内容一般是"天空是蓝色的""你今天穿的衣服很好看"等等。

和往常一样，我又是最后一个。在等待期间心里一直忐忑不安，不知道老师究竟会说什么，因为我的一只耳朵确实不太好。轮到我了，我用手假捂着耳朵。这时，像是从远方传来了上帝的声音，一句话犹如春雷回响在我的耳边，老师慈祥亲切地对我说："你如果是我的女儿就好了！"

到现在为止，我还认为，没有哪一个同学有我爱这位老师爱得这么深。因为她让我找到了和其他孩子一样的尊严和自信，驱走了我心中自卑的阴影。我将一辈子感激她。

2. 羞怯

羞怯是学生常见的沟通障碍。这里的羞怯是指人在沟通过程中过多地约束自己的言行，以致无法充分地表达自己的思想感情，阻碍了人际关系的正常发展的行为。

学生的羞怯一般有三种类型：

（1）气质性羞怯。这种学生生来就属内向气质。他们的脾气比较沉静，说话低声细语，见到生人就脸红，甚至常怀有一点胆怯的心理。他们举手投足、寻路问津也思前想后、顾虑重重。属于这种气质的学生为数较少。

（2）认识性羞怯。造成这种羞怯的原因是过分注重"自我"。他们的患得患失心太重，生怕自己的言行被人耻笑。他们说话做事都要有绝对的把握才进行，不敢冒一点风险，因而老是受环境和别人言行的支配，缺乏主动性。久而久之，便羞于和人接触，更羞于在公开场合讲话。

（3）挫折性羞怯。这种类型的学生以前并不羞怯，也许性格还较开朗，与人交往时也是积极主动的。但由于种种主客观原因，他们经历了一连串的挫折。从此，他们开始变得胆怯怕生，消极被动，好像换了一个人一样。

造成学生羞怯心理障碍的原因大多数属于后两种。根据统计，1/4的羞怯的成人在儿时并不羞怯，也有相当数量的羞怯儿童长大以后不羞怯了。学生羞怯的形成主要是在后天。它是在家庭、学校和工作环境中逐步形成的，也是可以克服的。克服学生的羞怯可以从以下几方面着手。

（1）调节学生的认知方式。关键是让他们形成这样一种认识：人不可能事事正确。在人际交往和沟通中，即使说得不对，还可以加以改正。事情做得不成功，也可作为前车之鉴。人的聪明才智就是在实践中增长起来的。

（2）多给他们锻炼的机会。可以从易到难地给这些学生布置一些人际交往的任务，让他们鼓起勇气，逐步学会主动与教师及其他人沟通。只要他们能够迈出第一步，以后的成长就会顺利得多。

（3）教给他们一些人际沟通的方法和技巧。教师要指导这类学生多观察生活、观察别人待人接物的方式方法，并根据每个学生的个性特点加以具体地辅导。

例如，一位心理辅导教师这样来帮助一个社交方面特别羞怯的学生：

第一步——鼓励她和家人主动交流。

教师通过和她家里人的沟通，让他们有意识地加强和孩子的交流。他们家规定，饭后半小时什么事也不干，专门和孩子聊天。可以让孩子谈谈耳闻目睹的事情，也可以谈报纸、电视上的事。孩子渐渐地就能在家里较为随意地发表自己的意见了。

第二步——鼓励孩子和同班同学多交谈。

教师组织了一些同学下课时有意识地与她多交谈，同时还让语文教师经常要求她做一分钟演讲。开始她演讲时还是满脸通红，结结巴巴。

但在教师和同学的鼓励下，她终于能在讲台上作时间较短的演讲了。

第三步——叫孩子去附近的商店购买物品。

平常因疼爱孩子，家长从不让孩子去买东西。教师让家长特意将家里购买日常用品的任务交给孩子去完成。一段时间后，她已经能和半陌生的人说话，再也不会面红耳赤了。

第四步——安排她和陌生人交谈。

开始教师请一位高年级的学生和她交谈，但她还感到有点心慌。于是教师就安排她和年龄小一些的学生聊天。适应后，她已经能主动地找高年级的学生进行交流了。

教师就是按照熟悉——半熟悉——陌生、有准备的演讲——即兴演讲、家庭——学校——社会这三条线渐进的方法逐步消除了这样学生的羞怯心理。这种方法是心理治疗方法中的一种——系统脱敏法。要扫除师生沟通的心理障碍，教师的心理学素养是很重要的。

第二节 师生沟通中的语言错误

有效的沟通是不断跨越障碍的过程。师生沟通的障碍来自哪里？来自于沟通的一方或双方的错误的沟通立场，而这种错误的沟通立场又通过错误的沟通语言表现出来。许多研究发现，教师的一些驾轻就熟、脱口而出的语言，成了"杀手"式的语言信息，阻碍了师生沟通的效果，导致师生之间的误会和冲突。所以，提高师生沟通的效果，首先应从分析教师错误的沟通语言着手。

汤玛斯·高登[①]和克里斯·科尔[②]等心理学家曾经把错误或不当的沟通语言分为三大类。参照他们的分类，以及我国教师的实际状况，这

---

① 汤玛斯·高登. 教师效能训练. 欧申，译. 台湾：新雨出版社，1982：83 - 91.

② 克里斯·科尔. 沟通的技巧. 刘永俊，均洋，译. 北京：中央编译出版社，1998：62 - 71.

里把师生沟通中教师常见的语言错误划分为四类。

一、发号施令型

发号施令型的语言总是告诉学生：作为一个学生，他（她）"应该"怎么做、"必须"怎么做、"最好"怎么做、"可以"怎么做。发号施令型的教师认为，通过这样的语言可以向学生传递解决问题的办法，期望学生最好能无条件地接受。它也是许多教师最喜欢使用的一种语言。

发号施令型语言可以分为四种，根据教师使用的频率排列如下。

1. 命令

例如，"坐下！不许动，现在轮不到你说话，等到你得到了原谅再说。""不许再哭，这里不是你家！""你给我离开教室！"

这种语言使人感到：学生的感受、需求或问题并不重要，他们必须顺从教师的感受与需要，并有可能产生对教师权威的恐惧感。这是教师单方面发出的语言信息，学生的情感或需求没有得到尊重，因此，学生有可能对教师产生怨恨、恼怒和敌对的情绪，比如顶撞，抗拒，发脾气等。

2. 威胁

例如，"如果你们这次不交齐作业，我就要罚你们再抄十遍书！""如果你再不改，我就打电话给你的家长，叫你的家长来见我！"

这种语言首先是命令，然后是告诉学生不服从的后果是什么。这种语言可能使学生感到恐惧和屈从，也可能引起学生的敌意。学生有时还可能对此做出与教师期待相反的反应："好啊，不管你说什么，我都不在乎，看你把我怎么样！"更有甚者，做一做刚才被警告过的事，好看看教师真的是否言出必行。即使教师真的采取了叫来家长等措施，学生的态度一般也不会有所改变。他们只会更加反感，起码也会保持消极状态的沉默，与教师、家长不做任何交流。

3. 强加于人

例如，"昨天晚上你有没有照我的话去做功课？你知道如何来安排时间吗？让我来告诉你……""今天找你来，是要与你讨论你这次考试失误的事情。经过我对你的试卷分析，我发现你存在的问题是粗心。你说是吗？记住：下次考试要细心！""好，我的话讲完了，你可以回去了！千万要记住我的话，别再粗心！"

其实，学生考试失误未必是因为粗心，也许还有更多的原因。教师找这个学生来谈话，目的是为了帮助他找到这次考试失误的原因，提高学习的成绩，但因为没互动和交流，导致他们之间的谈话毫无效果，并让学生感到老师并不想、也确实不了解自己。

"强加于人"实际上也是微妙地下命令，但是它可以更巧妙地隐藏在貌似很有礼貌的、富于逻辑的陈述中，但讲话的这一方只有一种心态：你是我的学生，所以必须按照我的观点来做。因为不给对方发表自己意见的机会，因而这类谈话进行得很快，学生也根本没有时间表达自己的想法，从而会感到自己的权利被剥夺。长此以往，学生还会产生一种"老师总是认为我不行，有着改也改不完的许多缺点"等压抑感。

4. 过度忠告

例如，"如果我是你，肯定不会像你这么做。""考试的时候一定要先做容易的题目，再做难的题目。"

这样的语言信息是在向学生证明：教师不信赖他们自身解决问题的能力。其后果往往会使学生对教师产生依赖心理，削弱他们独立判断的能力和创造力。过度忠告也意味着教师的一种自我优越感，容易引起追求独立的学生的反感。有时这种语言信息还会使学生感到被误解，甚至这样想："如果你真正了解我，就不会给我出这种又馊又笨的主意。"

发号施令型语言是教师平时使用得最多的一种语言。许多教师认为它是见效最快的语言。它的优点是教师可以快速解决学生存在的一些问题。它的缺点是使用过度就会失效。因为：

（1）容易造成学生反感。这种语言的后面常常隐藏着这样的意思："你太笨了""你太差劲了""你要听我的""我是权威"等等。这让学生听后很反感，随之出现逆反心理或顶撞情绪。有经验的教师会发现，当一个学生接受这样的语言时间较长后，会变得烦躁、自卑，或以后对类似的语言漠然，以至于有许多教师和家长总是抱怨："为什么孩子越教育却越不听话？"（2）容易使学生顺从，却不容易产生积极的行为。（3）它所表达的信息仅涉及学生而不涉及教师本身。由于学生不知道他的行为对教师有什么影响，只知道老师要求他对某些行为进行改变。在这种单方面的沟通渠道中，学生也会单方面地对教师作不正确的推测，比如：这位教师偏心，心胸狭隘，脾气坏，专门拿我们出气，对我们要求太高，等等。学生有了这样的负面心态，就难以接受教师原本良好的用意了。

二、傲慢无礼型

傲慢无礼型语言可以分为以下三种。

1. 训诫

例如，"你是个初中生了，应该知道什么是对的！否则你得到小学去回炉了！""你应该很清楚写字必须用什么样的姿势。"

这种语言表达了一种预先设定好的立场，使学生感受到与教师之间地位的不平等，感受到教师在运用教师权威，导致学生容易对教师产生防卫心理。

当教师运用这种语言模式的时候，常会使用这些短语："你应该……""如果你听从我的劝告，你就会……""你必须……"等。

这类语言在向学生表达：老师不信任你们的判断能力，你们最好接受别人所认为的正确判断。对于年级越高的学生，"应该和必须"式的语言越容易引起抗拒心理，并导致他们产生更强烈地维护自己的立场。

2. 标记

例如，"我发现班上一有麻烦，总有你的份！""我早就知道你不行！因为你太懒惰。"

这种语言一下子就把学生打入了"另类"，最容易令学生产生自卑感或"破罐子破摔"式的消极心态。面对教师这样的标记式语言，学生会感到自尊心受到了损害。为了维护自己的形象，他们以后就会在教师面前尽量掩饰自己的想法和情感，不愿将内心世界向教师敞开。一些调查表明：学校中最得不到学生尊重的教师，是经常给学生打标记的教师。所以，教师对此必须特别注意。

3. 揭露

例如，"你这样对抗老师无非是为了出风头！""你心里想什么我还不知道，在我面前你别想玩什么花招！""说几句认错的话就想蒙混过关？其实是害怕我给你爸爸打电话吧？可我今天偏要给你爸爸打电话！"

其实，教师让学生知道"我知道为什么""我能看穿你"并不是件好事。因为如果教师分析正确，学生会由于被揭穿而感到窘迫或气恼。而如果教师分析不正确，学生也会由于受到诬赖而感到愤怒。他们常常认为教师是在自作聪明，自以为能像上帝一样居高临下地洞察所有学生的内心，感觉莫名其妙地好。

傲慢无礼型语言在不同程度上都有明显贬损学生的意味。它们会打击学生的自尊心，贬低学生的人格，并明确地表达下列意思："你是问题学生""你不好""我不喜欢你、甚至讨厌你""我对你没有信心"，等等。

学生如果经常听到这类语言，就有可能形成"我是一个差劲的人"等自卑心理，长此以往会对学生的身心发展造成较大的伤害。由于这种语言常常使学生的自尊心受到伤害，他们也可能随之出现反攻击的心态。这时，师生之间可能出现大的冲突。更重要的是，傲慢无礼型语言给教师的形象蒙上了粗鲁、教养差等阴影，给学生造成负面影响，对他们的成长十分不利。

三、讽刺挖苦型

讽刺挖苦型语言可以分为以下两种。

1. 暗示

例如，"你讲话的水平真高啊，也许以后会有人请你当我们学校的校长。""临近高考你还在玩，真是胸有成竹啊，看来你一定会考上名牌大学。""《西游记》刚刚演完，我们可以开始上课了。"

这类语言虽然相对说来比较温和，但效果往往很差。

原因之一：由于学生年龄较小、注意力不够集中或认为不关自己的事等，大多数学生并不能够透彻地理解这些暗示，所以有时教师会感到自己是在"对牛弹琴"。

原因之二：哪怕有些学生明白了教师话语的部分含义，也会觉得教师说话如此拐弯抹角而有失坦诚，觉得教师"太做作了"，从而失去了对教师的信任。

原因之三：即使学生听出了教师的"话中之话"，也只会对教师的说话动机和人品做出鄙夷性的评价。

2. 中伤

例如，"你的字写得太好了，龙飞凤舞啊。我的水平太差，实在看不懂！看来要请你的爸爸来教我看。""你以为你是爱因斯坦吗？不要自以为懂得很多了！""怎么这么热闹，看来全班同学都缺钙啊！"

这类话语一出口，就流露出对学生的明显鄙视，还带有一些人格侮辱的成分在内。

对这类中伤性的语言，学生会非常反感。他们即使当面不敢说，心里却会反击："你有什么资格来消遣我。看你说话的样子，哪像个老师！"

教师在使用讽刺挖苦型语言的时候，是希望学生听懂这些话中的弦外之音。他们认为这是一种较为温和、较为"高雅"的表达方式。这类语言的潜台词是："如果我们把话挑明你们就会不喜欢我""跟你们坦白太危险了""我是有水平的教师，不会像你们这群傻瓜那样直筒子式地说话"。不要以为仅仅是发号施令型和傲慢无礼型语言才有许多不良的后果，讽刺挖苦型语言对学生的伤害也非常大，因为这类语言的深处隐藏着的是对学生的厌恶和轻视。

四、隔靴搔痒型

隔靴搔痒型语言主要有以下两种。

1. 空口"安慰"

例如，"不要难过！太阳每天都是新的，明天你就会好起来。""不要着急，你还年轻，人生之路长着呢。""回去休息休息，一切都会好起来。"

在这些并不能解决实际问题的、没有意义的安慰中，隐含着一丝"哀其不幸"式的怜悯感。因此，学生会感到双方并没有站在平等的地位对话，而自尊心越强的学生越不喜欢教师这样的讲话方式。

2. 泛泛之辞

例如，"总的看来，你是一个好孩子。""我也不知道对你说什么好，你自己好自为之吧。""你需要发扬优点，改正缺点。"

这种泛泛而论的评价过于简单，对于学生的成长根本无益。而学生也会怀疑教师是否真正关心自己。当教师安慰一个痛苦中的学生或学生急切地要求教师对自己有所帮助时，隔靴搔痒式的语言会让学生非常失望，进而他们就会对教师产生无能、自私、冷漠等不良印象。如果学生经常听到教师说此类话，还会怀疑教师是否一直在敷衍自己，对自己毫无爱心。长此以往，师生关系就不会融洽，隔阂将会日益加深。

许多成人在回忆往事时，经常会提及学生时代若干印象最深刻的事情。他们也许会说，当时是老师一次意味隽永的激励使自己受益一生；但也许会说，当时是老师的一句话深深地伤害了自己，成了自己"永远伤心的理由"。教师不能轻视自己的一言一行，不能在无意中成为被通缉的"杀手"，因为你面对的是一个个活生生的、年轻美丽的生命。

第三节 师生沟通中的沟通模式错误

当学生的行为发生问题时，多数教师都能够敏感地觉察。但是，对教师而言，仅仅"看出"问题什么时候发生是不够的，还需要进一步解决问题。教师在解决问题时的失败，往往是因为他们不知道如何做出"有效反应"，其中教师之所以对学生做出"无效的反应"，是由于使用不恰当的语言和沟通立场所造成的。由于这些不恰当的语言和沟通立场，导致了不恰当的沟通模式，然后就造成了双方的冲突和误会。

一、"你向信息"模式

1. 什么是"你向信息"模式

小帆是一个在念初二的学生。他非常迷恋玩电子游戏，由此常常忘记做作业。他的老师和父母分别找他谈话，小帆的态度是不做声，始终保持沉默。最后，他的父母和老师对他说："你为什么不专心读书？你以为不做声就可以向我们交代吗？"

请想象小帆对他的家长和老师的话有什么反应？他的家长和老师对于小帆的沉默所产生的不接受的态度，会带来哪些沟通上的阻碍？相信如果你是小帆，听了以上家长和老师这样的话，也不会有积极的回应，因为他们彼此不自觉的使用了"你向信息"。

"你向信息"往往基于个人的主观意识过强，忽略别人的感受，不留余地说出对别人的评价，结果造成对方的不悦。这种表达方式容易变成责备、命令的口吻，使对方抗拒、畏缩。

2. "你向信息"模式错在哪里

"你向信息"模式根本上是违背了人际沟通中的"动机效应"规律，造成典型的"好心没好报"现象。请看以下案例。

（1）沟通的本意是"提醒"，"你向信息"的表达口吻是"批评"："你怎么这么懒?! 还不快去做作业?!"

（2）沟通的本意是"指导"，"你向信息"的表达口吻是"命令"："你放学后到我办公室来做功课!"

（3）沟通的本意是"想了解学生的心理反应"，"你向信息"的表达口吻是"恐吓"："如果你不准时交作业，就叫你的家长来见我!"

（4）沟通的本意是"鼓励学生"，"你向信息"的表达口吻是"怀疑"："我不相信你能做得好。"

（5）沟通的本意是"想帮助显示反省"，"你向信息"的表达口吻是"质问"："你究竟有没有照我的话去做!"

（6）沟通的本意是"交流"，"你向信息"的表达口吻是"奚落"："真不知道你是怎么想的!"

其实，上述的语言都属于沟通中"不接受语言"。所谓"不接受语言"是指对有问题的人所表达的意思往往是，他"必须"改变，"最好得"改变，"应该"改变。这样的言语很容易变成命令或威胁。它们有时甚至会让对方觉得你对他的问题根本没有兴趣，而你只是在单方面表达你个人的意思。所以，这样的语言对于双方改善和促进人际关系没有任何的帮助，是属于无效的沟通。

与"不接受语言"相对的是"接受性语言"。所谓"接受性语言"是指对对方能够设身处地产生同感的了解，令对方开心，喜欢、愿意敞开自己的问题并乐意得到帮助解决。

心理咨询中，对于咨询师有一条规则：咨询的效果首先取决于咨询师与来访者之间的人际关系的信任度。为了达成对来访者有良好治疗作用的沟通效果，咨询师在与来访者初次接触的阶段，咨询师会使用很多接受性的语言，表示对来访者无条件的积极关注和无条件的接纳，表示对他们由衷的接受。面对咨询师的这些接受性的语言，来访者感受到了在另外的人际关系中所没有感受到的人性的温暖，可以在这种语言的引导下，在这种得到了无条件尊重和积极关注的沟通中，不断敞开心胸，以平和、不抵触的心态越来越真实的进入自己的内心世界，了解自己的问题，最终解决问题。人们发现，一个专业咨询师越是善于使用接受性的语言与患者沟通，也就意味着越是具有接纳人的能力，同时也就意味着越有能力在咨询过程中开创出一个良好的气氛让来访者改变和成长，心理咨询的效果也就越好。

接受过心理咨询的人们常常会告诉我们，与这些运用"接受性语言"的心理咨询师谈话，真是"舒服极了"，因为无论你跟他们说什么，他们都表示可以理解和接受，不会轻易下结论告诉你"对"或"错"，也不会使用"应该"或"但是"等指令性的语言，因此，你会愿意"将所有的感受告诉他们"，最后"心甘情愿的接受他们的指导"。这样的沟通语言才是有实效的。同样的道理，当教师学会用接受性的语言，让学生感受到老师对他们的同理和接受时，师生沟通也会产生相当有效的良性循环。在这样的时代，作为一个教师，掌握专业咨询师的常用的谈话技巧已经不是一件难事，而且也很有必要学习其中实用、细腻的沟通规则，这会给比较抽象的教育学理论注入活力。

为此，教师必须摒弃"你向信息"的沟通模式，而采用"我向信息"的沟通模式。

3. "我向信息"模式的魅力

（1）"我向信息"模式的原理。当学生发生问题时，教师要确立"问题归属意识"，清楚地分析有哪些问题是学生自己可以去解决的。当问题需要学生本人去解决的时候，教师在这种情境中所扮演的角色是"辅导者"，并对学生使用"接受性的语言"，协助学生了解自己的问题，并启发学生自己去解决问题。

但是，在另外一些情境中，学生的许多问题让教师不能接受，比如说学生在课堂教学中，大声吵闹、干扰教师的正常讲话等，有时候这些问题教师不能通过积极的聆听就能够解决。甚至这些问题发生以后，积极的聆听反而会导致消极的后果，教师必须明确告诉学生这些行为是不能接受的。因此，有时候需要确立"问题归属学生意识"，有时候要确立"问题归属教师意识"。前者是为了帮助学生解决问题，后者是为了处理学生为教师制造的问题。这是两种不同性质的工作内容。

那么，什么样的问题是教师自己需要去解决的呢？一个基本的衡量标准是：如果学生的问题引起了教师的烦恼、愤怒、焦躁不安等情绪，并在生理上造成紧张、不适、头痛等症状，则学生的问题就属于教师的了。比如说，学生破坏了学校的公共设施，破坏了学校的公共卫生，一些学生干扰了你的正常工作等。对这些行为教师不能接受，而且需要帮助学生改正。当学生的行为不能被接受时，教师就需要确立"问题归属教师意识"了。

当教师了解了学生问题的发生，必须要自己去解决的时候，通常会采用这样三种方式：①调整学生的行为；②调整环境；③调整教师自己。在调整学生的行为的时候，教师会向学生发出一些命令停止这些行为发生的信息，让学生修正这些行为。

教师对学生发出的信息大致有三类：①解决式信息；②贬抑式信

息；③迂回式信息。这三类信息是教师平时在修正学生问题时使用频率最高的。

　　解决式信息是指教师告诉学生应该如何来调整其行为：作为一个学生他（她）"应该"怎么做、"必须"怎么做、"最好"怎么做、"可以"怎么做。教师通过这样的信息向学生传递如何来解决问题的办法，期望学生接受。解决式信息可以分为五种：①命令、控制、指挥。例如，"安静下来！"②警告、威胁。例如，"如果你们这次不交齐作业，我就要罚你们再抄十遍书！"③训诫、说教。例如，"你应该很清楚写字的时候是一种什么样的姿势。"④教导。例如，"书是用来念的，不是用来乱涂乱画的。"⑤忠告，提出办法。例如，"考试的时候要先做容易的题目，再做难的题目。"

　　解决式信息的优点是教师可以快速解决学生存在的一些问题，而它的缺点则在于，当这样的信息使用频率过多之后容易失效。这是因为：①这种沟通信息容易造成学生反感。解决式信息的后面常常隐藏着这样的意思："你太笨了""你太差劲了""你要听我的""我是权威"等等。这样的信息让学生听后会很反感，自然就随之出现逆反心理或顶撞情绪。有经验的教师会发现，当一个学生接受这样的信息一段时间后，会变得烦躁、自卑，或对以后类似的信息漠然，以至于有许多教师和家长抱怨："为什么学生（孩子）越教越不听话？"②这样的信息容易使学生顺从，却不容易产生积极的行为。③它所包含的意思仅涉及学生而不是教师本身，学生不知道他的行为对教师有什么影响。他只知道教师要求他对某些行为进行改变，因此，在这种从单方面要求出发的沟通渠道中，学生会单方面的对教师作不正确的推测，比如："这位教师偏心，心胸狭隘，脾气坏，在拿我们撒气，对我们要求偏高"。学生有了这样的负面心态，就不会从正面来接受教师本来良好的用意了。

　　教师还经常使用另一种信息——贬抑式信息。这种信息打击学生的自尊心，贬低学生的人格。它包括：①非议、不以为然、责备。例如，"你总是带头在班上捣乱！"②中伤、归类、揶揄。例如，"你今天的举止像动物一样!"③揭露、分析。例如，"你这样大声叫嚷是为了出风头!"这三类信息都有明显贬损学生的意味，并明确告诉学生：你是问题学生。与解决式信息同样的后果是，学生不明白教师对他的问题的感受，也就从另外消极的角度来推测、贬损老师，仍然维持原先的行为或心态。或者，学生从这些贬抑式信息中，养成"我是一个差劲的人"等自卑心理。

迂回式信息包括逗趣、戏弄等语意。例如，"我从来没有像现在这样觉得我在教一个猴子班"，"你的脚发出的声音比你的嘴中读书的声音还要好听一些"。教师在使用迂回式信息的时候，是希望学生听懂这些话中的言外之音，也明白不能对学生采用解决式信息和贬抑式信息，因为它们有许多不良的后果。但是，学生经常会不了解这些言外之音，有时候即使明白，也会认为"教师太做作了"，从而失去对教师的信任。

在上面的三种沟通信息中，不管它们的信息传递方式有什么不同，它们都有一个共同点，即在与学生沟通时，是在沟通的语言结构中，把学生作为代名词，例如，

"你"不可以这样做!（命令）

"你"应该更加懂事。（训诫）

"你"照我的话去做!（提供办法，命令）

"你"的行为像小孩子!（中伤）

"你"最好安静，否则……（警告）

"你"以为你是爱因斯坦啊?（讽刺）

这些"你向信息"无一不是把焦点置于学生而不涉及到教师。

（2）什么是"我向信息"模式。如果教师所说的话是有关他对学生行为的感觉，以及这个行为对他的实质影响，这样的信息叫"我向信息"。"我向信息"是将责任置于问题的归属者——教师的内心。这样的信息又称"责任"的信息。

例如，"我"得收拾起这一大堆到处乱丢的东西，这样我真不想

工作。

"我"受不了这种噪音。

"我"不喜欢你们这么吵我！

这种责任信息有两个含义：一是教师发送"我向信息"，是为了对自己的内心情况负责，并承担"向学生敞开心胸作自我评价"的责任；第二，"我向信息"是把学生行为的责任留给学生自己去承担。这种信息避免了"你向信息"中的否定冲击力，让学生自知体谅并帮助教师，而不是使学生怨愤或迷惑。

"我向信息"比"你向信息"更能够有效地面对学生，其沟通效应表现为：能够促使学生由衷愿意改变行为，包含最小限度对学生的否定评价，并且不损害师生关系。大多数教师都得鼓起勇气才能直截了当又坦诚地"面对"学生，向学生表露自我。而多数教师在使用这个沟通的方法后，会发现那些被认为"不尊重老师"或"不守规矩"的学生会变得较好，也比较尊重老师了。

"我向信息"使学生把老师当做一个真实的常人来看——一个"会"感到失望、难过、愤怒、恐惧、有着缺点和弱点的"真实"的常人，一个和学生相似的常人。"我向信息"增进亲密感，它显示教师是一个开朗、诚恳、真实的人——是学生可以建立亲切关系的人。

不过，在教育实际中，许多教师都觉得向学生表露"真实"的自我本身是个威胁，因为他们觉得这样做了以后，会毁坏他们在学生心目中应有的教师形象——在学生的心目中，教师应该是永远不会犯错误的"神一般的偶像"。他们担心一旦向学生表露了自己的"真况"，学生就永远不尊重他们。对于这样的教师，"你向信息"似乎比较安全一些，使用起来可以掩饰自己的情感。但在这种沟通关系中，师生之间并没有亲密感可言，教师在学生的心目中常常没有清晰的印象，也没有人性化的亲切感。

（3）如何向学生表达"我向信息"。教师如何来向学生表达"我向信息"呢？它包括以下三个沟通内容的表达。

第一，能够使学生听出给教师造成的问题是什么。

如果学生用不着去猜测而直接知道教师为什么会"面对"他，则这种信息比较有效。教师对学生的不可接受的行为，用非责备、非判断的口吻来叙述，这样的语言表达应该以"我……"这样的语言开头，例如"当我发现地上满是碎纸片时……""当我看到课桌椅被同学乱推时……""当我带的班级被同年级的平行班认为是一个没有好纪律的班级时……"。这样的语言叙述，是在告诉学生教师对学生所造成的这些行为有什么感受，它只是单纯在向学生描述一个教师感受的事实，而不加评估和价值判断。而"你向信息"中包括评估和评断。例如，"我无法忍受这些调皮的学生……"这句话中，就有评估的成分，属于"你向信息"的表达；"你们的行为让我觉得……"这句话却只是在描述学生的行为带给教师的感受，它的出发点仅仅是描述，没有对学生本人进行价值评估，属于"我向信息"的表达方式。因此，判断表达方式属于何种方式有一个标准，即看这句话是否是以判断开头。有时，即使一句话中是以"我"字开头，但其中包含了判断、评估的成分，也是伪装的"你向信息"。

真正的"我向信息"常常以"当……的时候"开头，这是为了让学生知道给教师制造的问题是发生在某一时间的行为，换句话说，教师不是"经常"心烦，而是当不得不来处理某特殊行为与情况时才觉得心烦的。这帮助学生了解，教师针对的是某一情况或行为，而不是学生的整个人；他也就可以通过改变这个行为来帮助教师化解问题。如果学生听出教师无法接受他整个的人格，他就不知道应该怎样来对待自己，并让他为教师所接受了。

第二，要表达该特殊行为给教师的真实或具体的影响。

例如，"当你不把门锁上的时候（非判断的叙述），我的东西常失窃（实质的影响）……""当你们把纸屑乱丢的时候（非判断的叙述），我不得不花很多时间来整理（实质的影响）……"教师之所以要表述这些实质或具体的影响，是为了帮助学生明白自己的行为或将来的行为可能会给教师制造问题，他便愿意改变行为。大多数学生都不愿意被看成是一个"坏学生"，也都乐意让老师喜欢。然而学生往往不知道他们的行为是如何地影响了别人。他们一心只图满足自己的需要，根本没有想到这样做会影响别人，给别人制造问题。一旦教师把学生行为的后果告诉学生，学生的通常反应是："哦，我很抱歉，我没有想到……"诸如此类的反应。

第三，叙述出教师因受这些实质的影响而导致的内心感受。

例如，"当你把脚搁在过道上的时候（行为的叙述），我往往被绊倒（实质的影响），我真担心自己跌倒而受伤（感受）。"在这句话中，教师说出了这种行为的后果（被绊倒），而这种后果（对教师的实质影响）引起了"担心"的感受。这种表述传达的是教师担心受伤的原因不是学生的"脚"，而是"自己跌倒"。

总之，"我向信息"的表达会让学生觉得老师在开诚布公的申述。任何合理的"我向信息"都比责难的"你向信息"或较弱的"迂回式信息"来得可取。

4. "我向信息"和积极聆听交替的使用

"我向信息"可以让学生在与教师沟通时减少防卫心理，但是，教师在使用这种表达方式的时候，还是要注意学生的心理反应，注意把"我向信息"和积极聆听交替使用，帮助学生在不断产生被接纳和被了解的前提下去处理自己的问题。下面是一段教师交替使用"我向信息"和积极聆听的对话。

师：周洪，你的迟到为我制造了问题。每当你迟到，我不管在做什么都得停下来，这使我分心，我很伤脑筋。

生：是的。我最近有好多事情要做，有时候就赶不上。

师：我明白。你最近自己有一些问题。（积极聆听）

生：对的。刘老师要我第三节课以后在化学实验室帮忙，您知道，那是给第四节课做准备的。有好多工作。

师：他请你帮忙，你很高兴。（积极聆听）

生：一点不错！说不定下年度我可以当实验室助手，这对我极有好处。

师：也许你可以得到很多的回报。（积极聆听）

生：是的。我知道您为我的迟到很头疼，我没有想到这会成为您的问题。您知道，我本来想悄悄从后门进来的。

师：你悄悄进来也会成为我的问题。（积极聆听）

生：哦，不，我明白您的意思。您得停下来更改出席记录。我迟到是因为刘老师与我谈太久了。以后我要早几分钟离开实验室回教室，好吗？

师：这当然对我很好。谢谢你！

生：好说！

在这段对话里，教师首先送出了我向信息，然后使用积极聆听，让学生自己去解决问题，用他自己可以接受的方式来帮助教师化解了问题。

我向信息的发送是让学生了解教师的感觉。这种方式沟通的效果是帮助学生与教师建立比较亲密的人际关系，并在这个基础上来修正自己的行为。在人际沟通中，人们通常并不敏感自己的言行对他人所带来的影响。但如果我们一旦坦诚地而非以责备的态度告诉对方，对方往往会重视，检点自己的言行，并尽可能满足对方的需要。在前面的章节中，我们曾经分析过，许多教师认为一个理想的好教师应该是一个没有个人感情、没有个人心理需要的"神一样完美"的人，因此在与学生建立人际关系时，往往是把自己置于居高临下"管理、命令、支配"学生的地位上，在向学生发送沟通信息时，是"你向信息"，而学生在这种人际沟通中的感受是没有得到尊重，不愿意完全接受。用我向信息去面对学生，学生会在这种平等的沟通立场中去发现自己的行为对别人所产生的影响。学生们在了解了教师的感受后，都不免惊讶地说："我不知道这会引起您的头疼""我没有想到您会注意""我们不知道这会给您添麻烦"等。

5. "我向信息"的使用原则

教师在了解了"我向信息"的沟通效益后，往往急于对平时令他们很头痛的学生们使用"我向信息"。可是，他们发现他们这样做以后，不是把学生吓得要死，就是让他们更加顽皮和不服气。因此，我们在了解了我向信息的沟通效益后，还必须了解我向信息的使用原则。

"我向信息"表达的第二个内容是教师向学生叙述自己的内心感受。如果教师在这一部分是以"愤怒"作为沟通的内容，学生则会听成是"责备、贬抑"的信息。因为愤怒并不能透露教师的内心感受，它还是在责备学生。"我很生气"这句话，在表面上是"我向信息"，但是学生容易解释为"我对'你'很生气"或"'你'使我很生气"。一个人在愤怒之前必定先体验到其他的感受，"愤怒"只是"从属"的感受，在这个从属的感觉之前，应该还有一个"基本"的感受。请看下面的这个例子。

夏老师在一所小学的运动场上巡视。一个学生在扔小石子，险些打中他的头。他的基本反应是"惊骇"，接着他奔过操场而"愤怒"，喊出了恫吓性的"你向信息"，如"当我在这里的时候，不准你扔石子！"他发怒的目的是要惩罚扔石子的人或让他有犯罪感（因为他把教师吓昏了头），他也可能是为了吓唬这个学生以后不要再扔石头。他希望给学生一个难忘的教训。

因此，愤怒是一种从属的情绪感受，在这种情绪的感受之前，还应该有一个主要的感受。比如下面的例子。

学生学不懂数学，老师的基本感受是灰心，他愤怒地说："你连试都不愿意试，这么容易的题目连三年级的小学生都会做！"

从上面的例子中，我们可以发现教师的愤怒都是一种从属的情绪，是由另外基本的感受引起的情绪。教师光是向学生表达和发泄这种从属情绪，无助于解决问题。教师应该向学生表达其基本的感受而不是从属的感受。当学生了解了教师的基本感受后，能够从得到尊重和平等的立场上来与教师沟通。

二、"单赢"模式

1. "单赢"模式的普遍性

"单赢"模式其实很容易理解。心理学研究发现，大多数人的本性一般是自私的。在师生沟通中，教师的许多沟通错误都是只想满足自己一方的需要造成的：

"你们多吵闹，要是下课时教室里还是很安静那多好啊。"

"只要我老师轻松点，任何方法都是好的。"

……

归因理论的研究进一步表明，人归因的规律是利己主义倾向：好事都是自己干的，坏事都是别人干的。只有别人需要改变，自己不需要任何改变。前面说的"你向信息"沟通模式，归根结底还是来源于人的自私本性。

当然，我们推崇的"我向信息模式"可以帮助学生了解教师的感受，与教师在平等的前提下自觉地修正自己的言行。但是，有时师生之间有些需求上的冲突，即使用"我向信息"模式也不能调整。这时，我们需要寻找另外的解决冲突的方式。

2. "双赢"模式的现实性

在人际沟通中，有一种冲突解决的方式被应用得很普遍而且很成功，它同样可以在师生之间的沟通上发挥出效能来。这种冲突解决的办法是让冲突的双方在心平气和的前提下，共同寻找彼此都能够接受的解决冲突的方法，这就是"双赢"沟通模式。这种解决问题的方式有以下6个步骤。

（1）确定问题（冲突）。在这个步骤中，教师首先需要去找到问题的症结所在。只有先找到了问题，才能解决问题。教师可以从以下几个方面来发现问题：首先，对学生使用积极的聆听，了解学生的需要。其次，教师用"我向信息"向学生叙述他的感受和想法，尽量避免"你向信息"的使用。每次只用"我向信息"表达一个感受，不要一次表达太多的感受，否则不容易一次解决太多的问题。最后，只向学生说明教师的问题和需要，而不说解决的办法。比如，"我很头疼"是在表达教师的问题，"我要教室中安静"则是在表达教师所希望的解决办法。教师如果希望教室安静，只需说明教师的问题即可——"我很头疼"，"我不喜欢重复我的话"。

（2）发现各种可能的解决办法。在确定了问题以后，师生双方都可以提出解决问题的方法。不过，由于学生缺乏经验，教师可以先让他们发表自己的意见，然后提出教师自己的想法。在这一步骤，具体的方法有：暂时不评价学生所提出的任何意见，而是鼓励学生多提出自己的想法。学生在这个阶段中，如果提出的意见被评估或评价，以后就没有兴趣继续参与讨论了。将学生们提出的许多意见记录下来。不必要求学生对他们所提出的解决方法加以详细的解释。尽量鼓励学生多参与这个活动。

（3）评估各种解决办法。在这个阶段教师尽量使用积极聆听来了解学生所表达的看法和观点，并且不要隐瞒教师自己的观点和想法。教师在这个阶段担任"推动者"的角色。具体可以这样做：教师尽量用开放式的问话，比如："你们对每个解决办法有什么看法？""你们认为哪项解决方法最好？"等等。使用"我向信息"来表达你的感受，例如："我不能接受这个主意，因为……""我对这个解决的办法觉得不妥，因为……"。鼓励学生们多提出他们的意见，并让他们告诉别人这些建议有什么好处，也可以为自己所偏爱的解决办法争辩。教师用"我向信息"来鼓励学生积极发言，例如，"我发现有些人没有讲过话，我喜欢知道每个人的感受。"

（4）决定采用哪种办法。如果有了一些解决的办法，就可以让大家来决定采用一种比较合适的方法。在这个步骤，有这样一些方法：不要投票来决定，只是寻求一种合适的方法。让学生用举手的方法来选择赞成或反对。请学生想象各种解决问题的方法在运用之后的后果，会有哪些好的后果，同时可能会有哪些不好的后果。争取全体同学同意，尽量发动所有学生的支持和投入。

（5）规定如何执行这些办法。有时候，一个解决问题之所以推行得失败，原因在于执行得欠妥。在这个阶段，教师可以这样来与学生进行沟通：向学生们明确："我们每个人分别有什么责任？""开头我们该做什么？"如果有必要，讨论执行的标准，比如"房间怎样才算是整洁的？"让每个人写下行为作息表，以利于以后的检查、核实。

（6）评估解决问题的成效。这个步骤主要是为了检查解决问题的成效。解决问题是否具有成效有一个标准：即师生之间的冲突是否已经化解，师生双方不愉快的感觉是否已经消失。教师可以把学生召集起来，让学生讨论他们是否解决了问题，对解决办法是否满意，解决办法在推行的过程中是否困难或有哪些阻力等，并提出下一个阶段可行的方法。

以下是一段运用步骤（1）到（5）的案例。

师：我有一个问题是你们可以帮忙的。班上讲话的人太多，我总觉得不得不经常提醒你们。我不喜欢那样。我需要安静的时间来教学，可是当你们讲话的时候，我不得不重复我的话，或把讲过的话再讲一遍。可是我知道你们似乎也有讲话的需要。让我们想想看，要怎么样才能同时既满足我的需要又满足你们的需要。我要建议一些办法，你们也尽可能把你们想到的提出来。我要把它列在黑板上，暂时先列下来不要评论，然后我们来讨论，把其中你们和我都认为不妥的办法删掉。

接着大家纷纷提议各种解决的办法，由教师一一列在黑板上：①重排座位。②惩罚。③随时想讲话就讲。④每天规定一定的讲话时间。⑤当别人不再讲话时才讲。⑥绝对不准讲话。⑦一次只教半班（另半班可以讲话）。⑧低声耳语。⑨只许在口头讨论时讲。

师：现在让我们删去我们真正不喜欢的建议。我要删去第三和第九项，因为我不喜欢它们。（几个学生建议删去第二、六和七项。）

师：现在让我们考虑剩余的这几项。第一项"重新排位"，大家怎么看？

生1：您以前试过，却没有效。

（稍经讨论，大家都同意删掉第一项。）

师："每天有一定的交谈时间"——这一项怎么样？

（无人反对。）

师："低声耳语"呢？这个主意你认为如何？

（无人反对。）

师：那么，我们剩下的就是第四、五、八这三项了。有谁想添点什么吗？没有，好，那么我们要把这些写在纸上，大家在上面签名。这就是我们所谓的"契约"。我们都尽力不要违约。

在这个简短的解决问题的会议中，教师有可取的地方，也有不可取的地方：她通过本身需求的陈述，道出了"问题"，同时使用"我向信息"表达了她的感受。不过，她在"我向信息"中没有强调学生上课时讲话对她自己所发生的"实质而具体的影响"。她应该更进一步去探索学生为什么时常讲话。也许她可以使用类似的话语："我喜欢更了解你们时常讲话的原因，告诉我，你们上课为什么要讲话？"她也应该向学生说明自己不喜欢哪些解决办法而予以删去的理由。整个解决问题的过程仅止于步骤（4）：决定办法。教师可以用类似的话促使学生进入步骤（5）："好啦，我们如何实行这些方法呢？我们该做些什么？有谁来做？如何才能使我们的决定见效呢？"教师还可以推动学生进入步骤（6）：检讨（评断成效）。她可以说："我们什么时候再讨论，同时检讨我们实行的责任呢？"

通过以上的案例，你对"双赢"模式的理解是否又有所深入呢？

练习：

1. 认真阅读一本有关学校心理咨询的好书，对自己和学生的心理健康做一次调查。

2. 对照本章第二节，看看自己的沟通语言有没有犯类似的错误。

3. 应用"我向信息"模式与学生谈一次话，并观察学生的反应。

4. 用"双赢"模式的做法解决班级中存在的一个问题。

5

师生沟通的口语艺术

据统计，一般人每天用于讲话的时间平均是 1 小时，这样累计下来，人一生中用于讲话的时间长达两年半，如果记录下来，便是 1000 部每部 400 页的巨著。作为吃"开口饭"的教师，一生中所讲的话远远不止这个数量。但是，许多教师在"苦口婆心"地对学生说话时却没有好好反思、研究过教师语言的质量问题。

做好有效的师生沟通，除了要懂得根据教育学、心理学的原理来说话以外，提高自己说话的艺术水准也许是更进一步的要求。这是区别一个教师能否成为优秀教师的重要指标。我们可以发现，每一位优秀教师其实都是不同风格的语言大师。要掌握好教师口语的表达艺术，并达到炉火纯青的地步，确实是很不容易的。因此，根据师生沟通中最常见的情形，本章给大家介绍一些有关教师常用的口语技巧和策略。

第一节 幽 默

恩格斯认为，幽默是具有智慧、教养和道德上的优越的表现。可见，幽默是一个人的人格特征中重要的积极因素。幽默是人际关系中必不可少的"润滑剂"，人们都喜欢幽默的交谈者，喜欢听幽默的话语。一些调查证明，在学生列举的他们所喜欢的教师的特征中，幽默一直是名列前茅的。具有幽默感的教师走进学生中间，学生们就会感到快乐，沟通也就顺畅了。

幽默经常被教师用来批评学生的一些不良行为。这种批评的特点是点而不破，既解决了问题，又不会严重损伤学生的自尊心。

上课铃声已经响完，课堂里却安静不下来：有些学生在谈笑风生，有些学生在静观窗外，还有两个学生在伏案而睡。教师先咳嗽了一声，然后略带笑意地对大家说："如果那几位聊天的同学也能像那些观看窗外景色的同学那样保持安静的话，就不会影响那两位睡觉的同学了。"

教师幽默的话语真可谓"一石三鸟"。一阵笑声后，教室里安静了下来。

富有幽默感的人一般都豁达大度，对人宽容。所以，幽默往往也是师生关系的良好缓冲剂。

一位年轻人至今也忘不了当年的一件小事：小时候的他生性胆小，看到老师特别害怕。一次，在去春游的校车里，他一不小心重重地踩了新来的班主任老师一脚。于是他神色紧张、忙不迭地向老师道歉："对不起，对不起，实在对不起！"但老师揉了揉脚后却轻松大度地回答他说："不要紧，不要紧，其实是我的脚放错了地方。"车厢里爆发了一阵笑声。这位学生也如释重负。长大后的年轻人说永远忘不了这一幕，因为他从中学到了老师待人的宝贵原则。

幽默有时也用来补救教师在师生沟通中产生的一些失误。

一位教师由于了解情况不够，错误地批评了一位学生，这位学生当场辩解，教师也立即觉察到了自己的失误。面对教室里较为紧张的气氛，这位老师立即冷静下来，说："经调查，我们认为对某同学的指控不能成立。经本人慎重考虑后决定：接受该同学的上诉，撤销原判，为某同学彻底平反昭雪。"然后，这位教师把目光转向其他同学，认真而诚恳地说："今天我批评了某同学是因为自己了解情况不够，错怪了他。为此，我向某同学表示歉意。"这位教师通过使用法律公文式的夸张语言营造了幽默的氛围，避免了困窘场面的出现，从而又顺利地过渡到了和谐的师生沟通的情境。

幽默有时还可以用来给教师自我解嘲，以弥补自身一些本来无法改变的缺陷。

一位头发谢顶的老师第一次走进教室，下面就产生了一阵骚动。几个学生夸张地用手遮住了眼睛，还有人轻轻地说："真亮啊。"教师走上讲台，先朝着大家宽容地笑了一笑，然后以轻松的口吻说："虽然今天我们是第一次见面，以后的日子还很长。但我想先告诉你们一个秘密：我真的是一个'绝顶聪明'的老师！这一点大家以后一定会体会到。"聪明的学生马上理解了老师这番话的含义，大家用会心、和善的微笑接纳了这位新教师，并对这位教师产生了第一份好感。

由于幽默在师生沟通中的作用非常重要，所以有些教师发出了"向崔永元靠拢"的呼唤。但教师在运用幽默时必须把幽默和低俗油滑、刻薄讽刺等语言区分清楚，而且还须注意场合等因素。

第二节　委　　婉

心理学的研究表明，人们的认识和情感有时并不完全一致。在师生沟通中，教师的有些话虽然完全正确，但学生却因碍于情感而觉得难以接受，因此，直言不讳的效果一般不太好。如果教师把话语磨去些

"棱角"，变得软化一些，使学生在听到话语时仍感到自己是被人尊重的，学生就能从理智上、从情感上接受你的意见，这就是委婉的妙用。

被誉为"当代牧马人"的曲啸老师一次到某市监狱为年轻犯人作报告，报告的题目是《认罪伏法，教育改造》。报告之前，曲啸了解到这些犯人大多有一种抵制心理：认为无论是谁的报告，无非是"大道理＋小道理＋训斥"。为了消除或减弱这种心理，曲啸老师绞尽脑汁地进行准备。报告一开始，曲啸老师称呼大家的是："触犯了国家法律的年轻的朋友们……"这个称呼立即引起了全体罪犯的强烈共鸣，有的当时就掉下了激动的眼泪。

曲啸的这种语言可谓是"委婉称呼"的妙用：由于对这些年轻的犯人既不能称"同志"，又不便直接称"××罪犯"。因此，使用这种委婉的称呼既明确了对方的身份，又起到了缩短双方心理距离的作用。

在向学生表达一些否定性的意见时，教师如果能使用委婉的技巧，就会使学生更容易愉快地接受。以下列举几种具体做法。

1. 使用一些语气词

例如，试比较："你不要强调理由！"和"你不要强调理由嘛！"；"快对老师说实话！"和"快对老师说实话吧！"

用"吗、吧、啊、嘛"等语气词，可以使人感到你的说话口气不那么生硬。

2. 灵活使用否定词

例如，把"我认为你这种说法绝对错了"改为"我不认为你这种说法是对的"；把"我觉得这样不好"改为"我并不觉得这样好"。

这样说话能把同样的意思表达得不那么咄咄逼人。

3. 以问代答

一位班主任在听取班委有关春游活动的组织计划汇报时插话问：

"为什么每个同学的经费预算这么高呢？能否再节约一点呢？"这种以询问的语气来表达自己的意见就显得比较温和而不强加于人。

使用委婉语的技巧一方面要选取对方最易接受的角度，另一方面也要看对方的特点，因为不同年龄、素质的学生对语言的理解推断能力是不同的。

第三节　含　蓄

在师生沟通中，有时因某种原因不便把某一信息表达得太清晰直露，而要靠对方从自己的话语中揣摸、体会出里面所蕴涵着的真正意思，这种"只需意会，不必言传"的手段就称为含蓄。

含蓄是教师高雅、有修养的表现，也经常表示出一种对学生的尊重。学生的年龄越大、文化程度越高，教师使用含蓄语的频率也会越高。含蓄在师生沟通中经常起以下几方面的作用。

1. 曲表观点

一位大学生向心理学教师咨询，说他和一位女同学感情很好，可其他同学都说那位女生虽然品学兼优，但相貌平平，配不上他。为此，他心里非常矛盾。教师觉得这类事很难明确地表示意见，因此，只是问那位学生："你知道这句名言吗：'人不是因为美丽才可爱，而是因为可爱才美丽'？"学生玩味着老师的这句话，心里似乎有了主意。

2. 巧避锋芒

有时师生之间在某些非原则问题上有不同看法，或者为了避免公开发表教师目前并不想发表的意见，教师可以用外交辞令式的含蓄语加以暂时回避，让学生留有保持自己意见的余地，也可避免引起不必要的冲突。

一位教师在全班学生面前介绍一位因犯错误逃学而刚来报到的学生时，巧妙地说："由于大家都知道的原因，某同学终于在今天回到了自己的班级……"。这种说法既不伤这位同学的面子，也没有被全班同学误解为包庇行为，还包含着对这位同学"浪子回头"行为的欢迎之意。

3. 暗示批评

有时含蓄的话语是为了对学生的不良行为旁敲侧击一下，使其引起注意，但又不太伤害他们的面子。

有几位学生在其他任课教师的课上捣蛋，课后，班主任找他们谈话。班主任只是说："班级打算开一次'尊师演讲会'，就请你们几位准备好上台演讲，作精彩的表演。"几位学生一听都脸红了，感到难为情，最后主动向老师认了错。

4. 美化语言

师生沟通中如必须讨论到一些青少年不宜直接谈论的内容时，教师可用含蓄的语言让谈话不失于粗俗和有害。例如，用"天才仓库"代替"精子库"的说法，用"失过足"来代替"坐过牢"等说法。

当然，使用含蓄的语言首先要考虑学生的理解力。

第四节 反 语

中国古语说："将欲取之，必先予之。"太极拳理论讲究的是"欲进先退，欲前先后"。师生沟通中，教师有时为了更好地达到目的，口头说出的意思和自己的真实意图恰恰相反，反而能成功。这就是反语的妙处所在。

反语可用来提高批评人的效果。《晏子春秋》中有晏子用反语来说服齐景公的故事，这与下面一位班主任的说法有异曲同工之妙。

班上有不少男生最近开始迷上了抽烟，熟悉教育心理的教师知道这是许多男生在发育期间追求"成人化"的表现，横加指责只会造成师生对立。因此，在一次班会上，教师并不点吸烟学生的名，只是说了这样一席话："今天我给大家讲讲吸烟的好处。"一句妙语开场，如石击水，反响强烈。教师接着说："第一大好处是吸烟引起咳嗽，夜半尤剧可以吓退小偷；第二大好处是咳嗽导致驼背，可以节省布料……"这种诙谐的反语暗示了吸烟的害处，使学生在笑声中感受和理解了教师的用意。

在说服学生时，用反语来归谬，然后合乎逻辑地推出一个荒唐可笑的结论来，也很有效：

一位学生迷上了"轮回报应说"，坚持吃素，并说："谁杀了什么动物来世就变什么，杀了牛就变牛……"教师同样推理下去："那么，我想最好的办法是去杀人？"学生愕然，然后开始反思。

第五节　模　　糊

请看电视剧《鲁智深》中的一段台词：

法师：尽形寿，不近色，汝今能持否？

智深：能。

法师：尽形寿，不沾酒，汝今能持否？

智深：能。

法师：尽形寿，不杀生，汝今能持否？

智深：（犹豫了）……

法师：……

智深：知道了。

鲁智深真可谓是善用模糊的高手。

同样，在师生沟通中，有时会因某种原因不便或不愿把自己的一些意见明确地表达出来，这时，教师就可以采用模糊的口语技巧，把输出的信息"模糊化"，使沟通留有余地。当教师对学生的一些事情的真相未了解清楚，特别是对突发事件的前因后果尚不明朗时，运用模糊语能给教师留下主动性和灵活性。

例如，有学生反映班上一对男女同学像是在"早恋"，教师在没有彻底弄清情况前，没有急于做出反应，只是对反映这个情况的学生说："我也注意到了一些情况，不知是否真是这样。请你们不要再谈论此事，不管怎样，我会按照我一贯的原则来处理好的。"教师表面上的轻描淡写和模糊说法，避免了学生把事态再扩大，有利于今后教师谨慎、正确地处理此事。

模糊有时也是为了照顾对方的自尊，尤其是批评性的语言。

例如，教师在班会上讲评学生的问题时，一般都这么说："绝大多数同学是好的，少数同学还存在问题，个别同学特别差。"这种说法一方面保护了存在问题学生的自尊，同时又对他们起到了提醒、敲打的作用。

模糊有时还是为了避开某些敏感的问题。

学生问班主任教师：您觉得教我们班级的任课老师中谁课上得最好？教师答：各人有各人的特点吧。

又如，学生问：老师，您是不是最喜欢我们班的某同学？老师答：是我的学生我都喜欢。

值得注意的是，模糊不等于糊涂。糊涂者思路杂乱、逻辑不清，而使用模糊者思路是清晰的，目的是明确的，语言本身也符合语法逻辑。

当然，大多数情况下沟通的语言需要明确，模糊表达只是在一定情境下的权宜之计。

第六节　沉　　默

在师生沟通中，教师有意识地保持适当沉默，也是一种重要的口语技巧。

在师生面对面的交谈中，如果学生心有旁骛，注意力不集中，教师的沉默能起到一种提醒、集中学生注意力，迫使他们认真参与谈话的作用。

在与学生带有说服性质的谈话中，教师的适时沉默会体现出一种自信心和力量感。因为沉默能迫使对方说话，而缺乏自信、心虚的人往往害怕沉默，要靠喋喋不休的讲话来掩饰内心的忐忑不安。

教师有意识的沉默也是一种有效的批评办法。

一个学生迷上了电脑游戏，有时还缺课，家长也拿他没办法。一次，班主任总算在一家电脑游戏房里找到了他。看到他后，班主任一言不发，只是用严肃的眼光默默地盯着他看，学生感到心里发虚，闷声不响地跟着教师回学校去了。路上，两人谁也没说一句话。以后的几天里，班主任也没有找那位学生谈话，可是学生自己却一直心事重重。一个星期后，这个学生自己憋不住了，他主动找到了班主任："你什么时候批评处分我啊？"教师说："现在你不到游戏机房去了，让我批评你什么啊？"这时，学生才如释重负地笑了。事后，这个学生对别人说："如果当时老师骂我一顿，我可能很快就忘记了，可老师越是不吭声，我自己心里想得越多。也许我一生都不会忘记当时老师的那种眼神。"

沉默时表情要严肃、眼神要专注，使学生在沉静、严肃的气氛中感觉到教师的不满和责备，产生一种心理压力，并在自我反省中检查领悟自己的不足或过错，从而达到"无声胜有声"的效果。当然，运用这种方式要把握时间的长短，要适可而止。

教师跟一些经常沟通的学生，如班干部等，在沉默中传递眼神互相已达到了"心有灵犀一点通"的地步。因此，这种无需多言的沟通方式能大大提高师生沟通的效率。

练习：

1. 缪老师精神抖擞地走进教室，给新班级上第一堂课。他先作自我介绍："同学们，我姓缪……"他正要在黑板上写"缪"字时，不知哪个座位上传出一声"喵——"于是全班哄堂大笑。思考一下，如果你是这位老师，你将怎样处理？

2. 认真看几次优秀节目主持人主持的谈话类节目，总结几条自己可以借鉴的语言艺术经验。

3. 邀请一位优秀教师观摩自己的一堂课或一次班会，请他对自己的语言表达提几条建议。

6

师生沟通的体态语艺术

　　初秋的一个下午，张老师一踏进教室就感到气氛有点沉闷，虽然值日生一声"起立"声音响亮，但还是有人睡眼惺忪、有人还连打了几个呵欠。张老师转身写下今天的授课题目，粉笔声开始窸窣作响，教室里开始显得比较寂静。几分钟后，富有经验的张老师略微减慢了一点语速，同时仔细观察了全班同学当时的不同体态。他发现：坐在后排的同学几乎全都弯着腰身，有的看着手表，有的仰头望着天花板，有的看着窗外，有的看别人……坐前几排的同学看起来似乎不错，他们坐姿端正，两脚平放地面，脖子伸得直直的，两眼平视黑板，很久都不眨一下眼睛。可是，此时的张老师已经认识到，后几排的同学东张西望，已显示出他们无心上课，而前几排的同学同样也缺乏上课的兴趣！因为他们的"呆滞"神态已显示出没仔细听课：专心听讲的人脖子不会直直的，而会歪着脑袋"倾听"，消化、吸收知识、反复思考问题时，眼睛会眨个不停。所以，表面上他们在看着黑板，实际上心已飞到九霄云外去了。这时，张老师突然停顿了几秒钟的讲课，引起学生注意后，他用抑扬顿挫的声调说："同学们，俗话说春困秋乏，为了使大家减轻疲劳感，我先给大家说个有趣的小故事。"此话刚停，同学们立刻都表现出引颈企盼的姿态。然后，张老师一边说着故事，一边配以生动的表情和手势。一眼望去，全班几十名同学逐渐开始歪着脑袋"倾听"，听到精彩处，他们的眼睛都会闪着异样的神采。听到热烈处，他们更以笑声和点头给以反馈。故事结束了，同学们也都"清醒"了过来，接着刚才高昂的情绪，他们开始沉浸于张老师传授的知识海洋中，课堂里出现了真正理想的学习气氛。

科学研究发现：人们接收到的外界信息70%—80%来自于视觉信息。因此，可以这样认为："耳闻总不如目睹"。

从某种意义来说，师生沟通中的非言语交流也许比言语交流更为重要。人们也许能够一时停止有声的说话，但却不能停止通过各种身体的姿态有意无意地不断发出信息。教师做的每一件事都是在和学生沟通。

对于教师来说，体态语具有两方面的意义：

第一，正确识别学生的各种体态语来洞察学生的心灵，在沟通中就有可能做到知己知彼，百战百胜。

第二，有效地运用各种体态语来传情达意。没有表情的呆板说教，学生只能对教师敬而远之，永远不会对教师敞开心扉。

好教师应该懂得"身教重于言教"的重要性，应该学会"此时无声胜有声"式的表达艺术，成为一个魅力十足的沟通行家。

第一节　读懂学生的体态语

一、识破言不由衷的谎言

例如，学生小吴因为今天好几科作业都没交，班主任找到了他。"你为什么没交作业？""因为、因为昨天晚上我奶奶生病了，家里又没人，只好让我去陪她打吊针。"小吴虽然说得振振有词，但眼睛却看着地面。"真的吗？那么你看着我的眼睛说话！"小吴眼睛还是不敢正视教师。教师的心里已经明白了。她想，对这个父母双亡、生长在特殊家庭的孩子再也不能掉以轻心了。

又例如，新来的班主任老师问小磊同学："这次考试你两门不及格，你父母知道了吗？"只见小磊触摸了一下鼻尖，眼神快速地飘荡后慢慢地吐出话来："知……道……了。"经验不足的教师再也没问下去。可是，一个星期后，学生来告诉教师，小磊因为涂改成绩单被父亲发现，今天被狠狠地揍了一顿，所以不敢来上学！

从以上的两个实例中我们可以认识到：

（1）"貌合神离""口是心非"是师生交往、沟通过程中学生常有的现象。

（2）能顺藤摸瓜、探明学生真正心迹的"蛛丝马迹"，往往是学生表现出的体态语言。

（3）教师应该学会一点"识人之术"，逐步具备能对学生"明察秋毫"、独具慧眼识"体语"的能力。

识别学生体态语的能力也许可以通过教师工作中经验的积累来获得，但如果能重视这种敏感度的训练，学会一些识别学生体态语的原理和方法，再加上结合工作实践多加揣摩和总结，这方面的能力可能会提高得更快。

教师要识别学生是否在说谎，最根本的在于对学生的全面了解。科学家们的研究显示，人们最没办法说谎成功的对象就是自己的父母。因为父母太了解自己的孩子了。孩子一出生就和爸爸妈妈进行着无数次的身体沟通，小孩子的一个眼神、一个轻微的举动、甚至上下楼梯、开关门的声音，如果有什么异样都瞒不过父母。教师虽不可能像父母般地了解学生，但平时多侧面地注意每个学生的表现是完全可能的，在此基础上，再"察言观色"，就会有十分的把握识破伪装的谎言。

首先，说谎学生的姿态中会不自觉地流露出摸摸嘴唇、摸摸鼻子、抠抠眼皮等手脸组合动作，同时眼睛不敢直视对方。这些手脸组合接触和思考姿态与自我抚摸不同，几乎都是以"蜻蜓点水"的姿态瞬间划过脸部，目的只是在拦着自己的嘴巴、眼睛可能透露的真实讯号，避开旁人判探的眼神。戴眼镜的人还会做多次把眼镜拿下再戴上的动作。不过，随着学生年龄的增长，这些明显的手脸动作会稍加修饰，变成以指尖轻触口、鼻、眼，或以捂着嘴巴等方式表现出来。

其次，说谎的学生常常会由于紧张而出现说话结巴、口干舌燥、脸红、心跳加速、不寻常的冒汗等生理变化，尤其是平常不太说谎的学生更是如此。有人还会以频频点头、鼓励对方多说话来掩饰自己的不安。

另外，说谎的学生也可能附带有抱胸、握拳、不愿与你正面相对等防卫性姿态，他们正想避免自己被套出话来。而且，他们倾向于将自己的手、脚隐藏起来，表情尽量保持镇定。他们喜欢坐在桌椅等隐蔽物后面以寻求安全感、隐蔽感。

如果在仔细识别学生体态语的同时配合其他手段，效果会更理想。

①以口语技巧相配合。

第一种办法——让对方有安全感。如，可以对对方说："你把实话说出来。不要紧，事情不会很严重的。"

第二种办法——让对方在得意忘形时露出马脚。说话时故意把自己装成很容易上当的样子，使对方对你没有戒心而自然地把心里的话说出来。

第三种办法——"攻其不备"法。如在一段轻松的谈话中突然插入一句关键的问话；或隔一段时间后向对方问同样的问题，看看几次回答有无出入等。

②以营造环境相配合。警察审讯犯人时，喜欢让嫌疑犯坐在只有一张椅子、没有任何遮蔽物的房间，再配以强烈的灯光照射，就是要减低有利嫌疑犯撒谎的环境条件。

教师若非常想获悉真情，识破学生的谎言，可以邀请学生到操场、校园等地方谈话，不给学生有任何建立心理防线的机会，再逐渐套出学生的"真心话"来加以及时的分析综合，最后确定与学生有效沟通的策略。

二、觉察心怀抵触的信号

由于学生对教师心怀抵触的强度不同，因而此类体态语亦有程度的不同。对教师来说，最重要的是能够发现这类信号，从而有效地调整自己的沟通策略。

斜眼瞥视一般是学生对教师表示怀疑、疑问和不信任态度的表现。有些戴眼镜的学生此时还喜欢从眼镜上方窥视，好像要把对方的一言一行"看"得更清楚一些。

有些学生还可能用食指触摸或轻轻地擦鼻子。这种动作与因鼻子发痒或表示反对、否定的意思而用力擦揉鼻子不同，它显得装腔作势，有时还很优雅，并伴随着身体动来动去等姿态。

还有些学生碍于当着教师的面不敢明显地表达不满或厌烦的感受，会用脚擦着地面来回地踢，好像要把不称心的事情踢掉。

如果学生把身体稍微移开、略以侧身对看教师，头部不倾斜反而伸直、背脊挺立，双手交叉在胸前，还有些胆子较大的学生不时望望天花板，看看手表，甚至把眼神直盯着房门时，说明学生对你的抵触情绪已较为严重。假如教师未能敏感地捕捉和重视这些信号，继续自顾自地责备、刺激这些学生，这些学生的抵触情绪就会进一步发展。

如果学生头略往后仰、鼻孔有朝天的趋势，呼吸急促，或下意识地把握紧的拳头插在口袋中，交叉藏在手臂和腋下或放在背后，甚至有些胆大的学生双手叉腰，或双臂分双手抓住桌边，表现出一种敢于挑战权威的姿态时，聪明的教师就应该保持理智，紧急地进行沟通策略调整，以免出现困窘的场面。否则，一场正面的冲突也许不可避免。

三、判断认真思考的程度

教师发出的信息能否引起学生的认真思考，是师生沟通是否有效的一个重要前提。因此，判断学生是否在真正思考十分重要。

手撑着脸颊是一种表现出沉思、兴趣和注意力的典型姿态。如果学生在和你谈话时用一只手或双手撑着头部、身体向前倾靠，有时还稍稍眨眨眼睛，这说明他对你所说的内容很感兴趣，并且双方的想法正在趋向一致。

但有时学生会把一只手放在脸上，手掌把住下颚，然后拇指伸到面颊上，其他手指都放在嘴边，身体略向后移离对方远一点，这说明他可能对你的说法持某种批判性的评估态度，或者是有某种想法正与你相反。

头部倾斜、洗耳恭听一阵子后，用手抓抚下巴，通常是用大拇指和食指，这种姿态在全世界都认为是表达"很好，让我考虑考虑"的意思。年龄较大的学生在做决定时会采用这种姿态。伴随这种姿态的脸部表情往往是吊眼斜看，好像是要从远处看出问题的关键在哪里。

如果学生在思考时伴有吮吸大拇指，年龄稍大一些的有撕咬指甲、钢笔或铅笔的行为，说明他们内心正处在焦虑、冲突之中，他们此时最需要的是寻求一种信心。如果教师这时能及时给予学生一定的支持和保证，他们就会较快地做出正确的决定。

四、捕捉接受合作的信息

"沟必求通"，师生沟通的目的和理想状况应该从互相理解到达成共识、形成默契，当然接下去，以贯彻教师一方的意图为主。因此，在师生沟通中教师要一直观察对方的体态语，随时捕捉他能否合作的信息，不断调整自身的言行，特别要避免在对方已有积极合作意愿时被自己"画蛇添足"式的言行加以破坏。

如果对方当时是采取坐姿，那么坐姿改变、全都移向椅子前端，再配上充满希冀的眼神，明显指向教师的肢体语言，则无疑是一种热切愿意合作的信号。

手放在脸颊边，这个姿势代表的意义很多，从表示无聊到评估对方都有可能，但如果评估之后他对你有好感，这种姿势也可以被看做是表示某种程度合作的姿态。这些调查表明，如果一次会议上有 10 个人坐在椅子上，都翘着腿，其中有 5 个人手摸着面颊，这些手挨着面颊的人往往比较愿意与会议的组织者合作。

挨近教师，也是一种接受、准备合作的表示。师生谈话时，当学生对话题有兴趣、并越来越热衷时，他们的身体会不知不觉地靠近教师，而且说话的声调也跟着提高。

有人还观察到，在坐着交谈时如果你的说服材料已用殆尽，而对方仍然没有任何明确的口头表示的时候，你可看看对方是否有以下小动作：第一，手腕很放松，没有握拳。第二，手掌张开，放在桌上。第三，拿开桌上的障碍物。第四，用手托着下巴。如果有以上的手部动作，即表示对方已在心里有肯定的意思，再进一步沟通就能洽谈怎样合作了。

以上列举了师生沟通时学生一些典型的体态语表现，教师在透视学生的体态语时还必须注意：

（1）不能只观察学生一些个别的体态语，而必须注意他们的口头语言与体态语是否一致，以及个别体态语与整体体态语是否一致。

（2）体态语所表达的意义可因地、因人、因时、因文化背景的不同而不同，还有一些纯粹是个人的习惯，所以必须仔细区分清楚。

（3）由于师生关系中双方角色的固定性，学生的体态语中一些高强度的消极动作一般不敢明显地表露出来，而会更多地倾向于掩饰、伪装自己。因此，教师的心应该比一般人更细，观察力应比一般人更敏锐，敏感度应比一般人更高。

第二节　教师本身体态语的运用

一、传神之举来自何方

有些人比其他人较擅长于理解和运用身体语言，甚至个别人是这方面的专家。但实际上我们每个人每天都在无意识地做着体态语的沟通，平时教师与学生交往、接触时，他们的体态语大部分也都是无意识的。研究证明，教师有意识地运用好体态语能增进与学生沟通的效能。那么，有哪些因素影响教师体态语运用的效果呢？一些专家从以下几方面做了研究。

1. 教师的体貌特征

教师的体貌特征很容易引起学生的各种联想，所以它本身就是一种天生的体态语。

一般说来，长得胖胖的教师更容易让学生感到随和、亲切、易接近；而长得瘦削的教师却更易给学生过于严肃、不易接近等感觉。

年轻的女教师容貌秀美、声音柔和，会增强她对学生的亲和力；而身材高大强壮、留着小平头的中青年男教师很容易让学生畏惧。

一些白发苍苍的老教师也许会受到学生的更大敬重，这是因为他们为教育毕生耕耘、奉献，本身的形象就引起了学生由衷的尊重。

不可否认，一些师范院校在招生时都坚持进行面试，无非是考虑到了教师体貌特征的作用。当然，教师的体貌特征主要是天生的，而教师博得学生信任和爱戴的根本之处还是在于内在的学识与修养。

2. 教师对自我形象的认识

教师对自我形象的认识即教师怎样看待自己的整体状况：自己是能干的还是无能的、腼腆的还是大方的、温和的还是严厉的、负责的还是轻率的、富有吸引力的还是让人讨厌的、自信的还是羞怯的……其中也包括对自己外在形象的一些评判。

有人曾用"身体观念"这一词来说明这一概念。他们认为，"身体观念"是人对自己身体的吸引力和能力的感觉。教师如果对自我形象充满自信、形成了积极的评价，他们的体态语会充满了生机和活力，散发出巨大的人格魅力，从而对学生产生无法阻挡的影响力。

3. 适当的学习和训练

一些调查表明，那些在学生时代学习过戏剧表演、舞蹈、体操等项目的人当了教师后，大多数人不但性格开朗，而且体态语也较为丰富，更易形成对学生的亲和力。这就说明，运用体态语的能力在一定程度是可以学习和训练的。

目前，一些发达国家的师范教育不但在传统的幼儿师范教育中，而且在所有层次的教师教育中都开始重视教师体态语的研究和训练，还出版了一些专著。我国最近几年也有这方面的研究和著作出版。可见，对未来的教师来说，"有声有色"地教学、沟通将是一项必备能力。

根据自身的特定条件，发自内心地、积极自信地运用自己的体态语，加上不断有意识地学习和训练，你就会有传神的一举一动，你的自身形象就会对学生产生迷人的魅力。

二、有声有色做沟通

一些学者把教师的体态语分为几大类来进行研究，这些分类由于标准的不同而有所不同。但是其中大部分研究还是侧重于教师在课堂教学中的体态语运用。这里从积极和消极两个侧面，着重说明教师与学生交谈时一些主要体态语技巧的运用。

1. 不可忽视的着装

英国有一句谚语："衣冠楚楚是最好的介绍信"，可见，即使是同一个人，穿着不同的服装也会给人以不同的感觉。国外曾有人作过一个实验：实验者在公共电话亭的电话机出币口上故意放置几枚硬币，观察各类人怎样处置它们。结果比起穿着随便者，那些穿衬衫打领带、服装整齐的男士把硬币投入话机或不去动它们的概率较高。再以穿越人行道时遭遇红灯的情况做实验，也是那些穿着整齐的人闯越红灯的概率小。这两个实验的对象换成女性后，结果也基本相同。

虽然对以上实验很难推理出非常绝对的结论。但穿着整齐的人一般会给人带来信任感等正面信息是十分肯定的。所以，教师应该重视自己的服饰，这是表现教师体态语的最自然的手段。

适当改变自己的着装，还能影响自己的心态，以致使别人对你的看法也有所改变。一位性格内向的教师一直习惯于穿深色的西装，给学生十分严肃、保守的感觉。一次，这位教师要接任一个新班级的班主任。听从了其他教师的建议后，他在第一次亮相时改穿了鲜艳的西服和提花领带，配带了熠熠生辉的新眼镜。结果，他的形象为之一振，给学生留下活泼、开朗的印象。以后他竟然发现，随着自己穿着风格的逐步改变，个人的性格也在朝着外向、开放的方向发展。

当然，教师在着装时必须注意，如果穿得太前卫，甚至还爱"领导时装新潮流"，往往会造成消极的后果。所以，教师着装的基本要求应该是活泼而不失庄重、时尚而不张扬，并且比较符合自己的个人风格。

2. 眼神的妙用

眼神虽然只是面部表情的组成部分，但由于它非常重要，表达的信息又十分丰富，所以人类一直认为它是"心灵的窗户"。甚至如果要从事一些专门职业（如演员），还需对眼神（他们称之为"眼技"）进行专门的训练。看来，作为"人类灵魂工程师"的教师，确实也应掌握它丰富的内涵和表现力。

（1）眼神的一般用法。眼神的主要作用是表示对对方的友好、重视、关心等意。

例如，在课堂上，主讲教师对来听课的新同事不时以眼光注视，这是在对他表示一种尊重和友好，同时也为这位新教师将来在学生心目中的地位做了良好的铺垫。

又例如，教师在召开学生座谈会时，对那些坐得离老远或没有机会发言的学生微笑着多看几眼，这学生就会感到自己并未被忽视。

眼神也是调节沟通双方心理距离的手段。

例如，当沟通双方的身体距离较远时，可以用多注视对方的办法来拉近心理距离。相反，如果双方距离很近，尤其对方是一位同自己没有亲密关系的异性时，适当转移视线就可以使大家都不感到窘迫。

眼神的不同状态传递着人的不同心理状态。一般认为，视线朝下意味着紧张或怯弱，视线往左右岔开表示排斥或拒绝，笔直和凝视不动的视线有敌对的意味或是受到了严重的打击，而视线喜欢略为上扬的人则充满自信并性格强悍……

对许多教师来说，需要了解甚至训练一下自己的眼神，让自己的目光再灵动一些，影响力再大一些。

（2）注视学生的艺术。在师生沟通中，师生之间面对面的谈话最为重要和常见。教师对学生的注视一般分为以下几种。

①严肃注视。这种注视的眼神集中在对方脸上以双眼为底线、上顶为前额的三角部位，视线一般要直，不能眼珠乱转，面部表情要严肃认真，目光要带有锐利感而不僵直。要学生认识自己的错误行为时，严肃注视可能让学生心灵震撼，吐露真情。

• 严肃注视的部位

从犯错误学生的角度看来，教师的眼神往往包括威严、信任、诚意、希望等诸多信息，使他们不得不承认错误。

②关注注视。这种注视的眼神集中在对方脸上以两眼为底线、嘴为下顶角的倒三角部位，目光以亲切、柔和、自然为主，表情不能过于严肃或过于随便，目的是让学生感觉到注意或得到鼓励、接受良性暗示等，从而让学生能积极地思维和认真地与教师沟通。

• 关注注视的部位

③亲密注视。这种注视的眼神集中在以对方两眼为底线、下顶角为胸部的倒三角形部位。教师在与学生个别谈话时，除了以批评为目的以外，一般都可以使用这类注视，这样会使学生感到关心、体贴，产生巨大的温暖效应。运用亲密注视必须真正发自内心，出乎真情，不能矫揉造作，故作亲密，还必须注意学生的年龄和性别差异。

• 亲密注视的部位

（3）消极眼神面面观。教师应尽量避免使用的消极眼神按程度排列，大致有以下几种。

①垂视。眼睑低垂、目光指向地面，使学生感到教师"拒人千里之外"，无意与自己沟通。

②漠视。毫无表情地面对学生，或冷淡、冷漠地注视学生，使学生感到教师瞧不起自己，产生自卑感。

③侧视。侧目视之，又称"斜视"，"斜视"使学生感到教师对自己有鄙视和轻蔑感。

④盯视。目光不流转、甚至伴随瞪眼、不眨眼睛，在带有一定威慑力的同时很容易引起学生的不安和害怕。

⑤怒视。在瞪大眼睛盯视的同时伴有眉毛竖起、牙齿咬紧等愤怒表情，如果再步步靠近学生，又可称为"逼视"。这种眼神会引起学生巨大的恐惧，对他们的心理产生伤害，同时，可能引起学生严重的对立情绪，甚至发生冲突。

除一些特殊情况外，教师一般都要尽量避免使用上述消极眼神。

3. 面部表情的三大类别

根据使用频率的不同，我们可以把教师的各种面部表情分为以下三大类。

（1）经常性的面部表情。教师经常性的表情主要包括以下几种。

①表示亲切、友善。

基本状态：双目微眯，嘴角微翘，面露微笑。

这种亲切和善的表情是与学生建立并保持心灵接触的前提条件，是进入学生情感世界的"通行证"，也应该是教师在工作中的常态表情。由于传统教育思想的影响，中国的许多教师潜意识中一直保持着"师道尊严"的观念，以得到学生"敬畏"为满足。所以，要真正呈现给学生亲密友善的表情，首先要从观念的真正改变着手。

②表示满意和赞扬。

基本状态：眼睛略闭，嘴角上翘，浮出微笑，明显地赞扬时还伴有点头动作。

这是一种带有评价意味的面部表情，用于对学生良好行为的评价。这种表情不管是有意还是无意，对学生具有同样的鼓励效果。

③表示关注、饶有兴趣。

基本状态：眉毛微微上扬，双眼略睁大，常伴口部微张、嘴角上翘。

良好的师生沟通的基本前提在于教师对学生及其活动的关心和重视。这种面部表情能表达这种关心和重视，并含有鼓励的成分在内。

（2）偶然性的面部表情。

①表示询问及疑问。

基本状态：询问的表情是眉毛上扬，眼睛略睁大，嘴角微张开，与表示关注的表情相似。

这种表情一般用于与学生谈话时询问某些情况，鼓励学生说出真相，但这类询问常常是教师已明白或猜中了问题的结果，只不过是有意激发学生思考和倾诉而已。疑问和询问的不同之处主要在于教师的问话实际带有怀疑的成分在内，有时还含有不满的意味。所以，疑问的面部表情往往以眉头微皱，微带否定性的声调为特征。

试用以上两种不同的面部表情说这句话："今天的搞懂了没有？"就可以体会出两种问法的不同。

②表示严肃认真。

基本状态：眉毛微皱，双唇较紧地抿在一起，眼眼略睁大。

除讲解一些严肃、庄重的内容外，教师主要在对学生的一些不良行为进行批评教育时使用这种表情。使用这种表情时教师应注意两点：第一，这种表情只能偶尔为一时特殊需要而用。教师如果终日严肃，难见笑容，学生绝对不会喜欢并与其接近，更难谈沟通。第二，在批评教育学生时，要把严肃认真的表情与亲切友善的表情巧妙结合起来运用。

教师既要能当"严父"，又要能当"慈母"。一般策略是先"严"后"亲"，当然也可根据实际情况灵活组合应用。

（3）应尽量避免的面部表情。

①强烈的愤怒。

基本状态：眉紧皱、眼圆睁、牙关紧咬致使双唇紧抿。

这种表情很容易把教师的理性淹没，无助于解决问题。

②明显的蔑视。

基本状态：眼微眯，嘴角下垂，嘴向一边撇去。

这种表情会极大地伤害学生，应严禁使用。

③羞怯。

基本状态：最明显的表现是脸红，伴有手足无措、语言结巴等动作。新教师应注意防止出现这种情况。

另外，可能损害教师形象的一些表情，如厌烦、无可奈何、卑琐庸俗等表情也要坚决杜绝。

4. 其他体态语的功能

（1）手势语。一次，一个男同学的无礼行为惹恼了教师。于是，教师把学生的家长叫到学校来。一见面，余怒未消的教师就对家长说："你的儿子啊，闯祸的本事在班级里名列前茅（一边说，一边还向家长伸出了自己的大拇指）。可是学习成绩呢，却一直排在班级的最后几名（又向家长伸出了自己的小拇指）！你叫我对他怎么办呢?"家长一看教师用这样的方式说话，气愤地和教师争吵了起来。

以上例子中教师使用了不恰当的沟通语言，并且这两个手势语对造成冲突起到了明显的推波助澜的作用。所以我们不能忽视教师手势语的作用。

手势语的运用看起来很复杂，其实只要指出教师几种常用手势语时应注意的问题，一般都可以举一反三灵活选用。

①手指的运用。翘起拇指向上是表示肯定、称赞、首屈一指等意义，用时必须和面部表情密切配合，否则有应付或讽刺意味。但切忌用大拇指指向身体外侧并晃动几次的手势，因为这一手势表达的是严重的蔑视，会大大损害教师本人的形象。

● 大拇指不同用法的不同效果

食指也许是使用最多的手指，但切忌用食指向学生作斥责性的上下点动。另外，蔑视性地伸出小指伤害学生的自尊心也决不可取。

②手掌的运用。单手上抬，指向某学生，可表示介绍、请求发言的意思。双手上抬、掌心向上，除表示起立外，在与学生谈话时可表示自己的诚恳和可以信任。亲切温和的招手，恰到其时的带头鼓掌等都是积极的体态语。而讽刺性地鼓倒掌、宣泄性的拍桌面都不会收到好的教育效果。

③双手与手臂的位置。与学生谈话时，教师如把双手随意相叠在身前或配以恰当的手势，学生会感到亲切、真诚与愉快。如把双手背到身后，会给学生盛气凌人、高高在上的感觉。因此，除监考、巡视时教师可适当背手外，一般不应该出现背手现象。还有，双臂交叉护置于胸前，无论对教师或学生来说，都是一种消极性的体态语，应该尽量避免。

● 什么叫拒人以千里之外

（2）空间语言。教师的空间语言一般由教师的身体指向、与学生的人际距离、方位角度等几个要素组成。这里简单说明师生沟通中双方面对面交谈时需注意的几个方面。

①身体的指向可分为面对面、肩并肩、V 字形等几种类型。面对面的指向通常表示一种让正在进行的交流不被打断的愿望，交流双方的关系要么亲密、要么严肃或敌对。用肩并肩的指向坐下，互相转头对视，可造成一种"促膝谈心"的良好状况。V 字形的指向最为灵活也最常用，可表达多种意义。

②身体的倾斜度。在与学生面对面谈话时，教师的身体适当向学生倾斜可以使谈话变得更融洽。但如果倾斜的角度在 75 度以上，则可能演变成一种压力，因为这样已侵犯了学生的个人空间，其表达的意思可能是："我不相信你"，"你最好讲清楚"，或"你最好同意"。如果要给学生减轻压力，使他们能较为放松地与你交谈，教师可向后倾斜一点，但不能向后倾斜太多，因为太向后倾会给人对谈话不感兴趣的印象。

③人际距离。一般把人际距离分为四种：亲密区（45cm 以内），这是拥抱、说悄悄话的距离；个人区（45cm—120cm），这是朋友等交谈的距离；社交区（120cm—350cm），这是团体讨论、宴会交往的距离；公共区（350cm—750cm），这是途中招呼、摆手致意的距离。教师要根据师生间的喜爱程度，不同的情境，学生的年龄、性别、个别差异等因素灵活运用。

④方位与角度。教师与学生在沟通中各坐什么位子，互相处于什么位置与角度，直接影响到沟通的效率。以上空间语言的几种要素须有机配合起来运用，不能机械地理解和搬用。下面举一个办公室中教师与学生谈话的常见实例来说明：

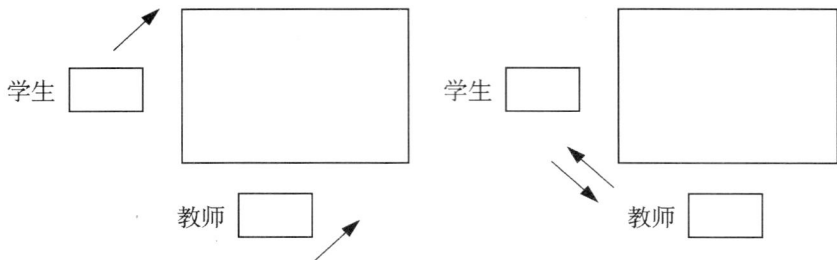

• 图中大方框代表办公桌，小方框代表教师的座位和学生站的位置，箭头代表双方的身体和眼神的指向。

以上两幅图中虽然教师、学生座位相同，但左图中教师身体、眼光指向并不朝向学生，脸上可能还带有讥讽的表情，而且身体还微微向后靠，造成了学生的反感，使学生索性把身体也指向别处，毫无疑问，这样的沟通必定失败。而右图中教师的身体、眼神都指向学生，身体还微微地面对学生倾斜，学生也报以同样的体态语，两人的实际距离亦靠得较近，当然，这样的沟通就较为顺利。

• 常见的师生谈话情景　　　　　　　• 换一下方位就好得多

● 促膝谈心很温馨

练习：

1. 根据自己的想象，补写出下面文章中有关体态语部分的描述：

放学了，小芳拎着书包，推开自家大门，_____地朝房间走去，妈妈好像生了一对顺风耳似的，再小的脚步声都逃不过她。她用轻柔但不容抗拒的声音唤住女儿：

"考得怎么样？成绩单呢？"

"哦，还不知道，成绩单还没发下来……"小芳的脖子_____了一下。

"怎么会这样呢？每年不都是这时候发成绩单吗？"

"可能是教务处更新电脑设备的缘故吧？今年比较晚。"

小芳摸一下_____，将_____向他处。

"妈妈昨天和老师打过电话了，他说你上课老是不专心，成绩退步了许多。"妈妈假意刺探着。

"……"小芳刹时_____，_____张得大大的，心里暗自叫苦："哇！那个讨厌的矮个子教师。"

2. 把自己的一堂课用摄像机摄录下来，反复观看自己的体态语表现。改进后再录一次，对比前后有没有改进。

3. 邀请几位教态优秀的同事，分组用角色扮演法练习各种教师体态语。

7

积极聆听的原理和技巧

办公室里，王老师正在批改作业。这时，一个学生匆匆地跑了进来。"王老师，我急死了！我爸爸又改了主意，要我不报理科班，改报文科班。现在还来得及吗？"

学生说话时快得像开机关枪似的，头上直冒汗。"急什么！这么大的人，连话都说不清楚。"王老师不满的朝学生掠了一眼，仍然低头批她的作业。

"王……王老师，我……我……该怎么办哪"，学生急得说话也结结巴巴的。"好吧，你开始说吧。"王老师总算抬起头来，仍心不在焉地看作业。

于是，学生又把刚才那番话重说了一遍。

"什么！"王老师听后把笔一扔，声调也高了起来："这简直是开玩笑！如果全班同学都像你那样，我们老师的工作还怎么做！"

学生嗫嗫嚅嚅地说不出话来，脸上露出了惶恐和失望的神色。

王老师一开始就犯了师生沟通的大忌——不能对学生进行积极的聆听。

从人际沟通的角度来看，一定程度上"会听"比"会说"重要。不少心理学家在对情商定义的诠释中已明确指出：能不能理解和分析人的情绪所传送的意识，是情商的最重要组成部分。

在理想的沟通中，双方都应该是"听者"。沟通双方首先必须在积极聆听的过程中才会知道应该如何去"说"。一个好的沟通者，首先必须是一个好的聆听者。

第一节　什么是积极聆听

根据专家的分析，"听"应包括三个心理层面[①]，每个层面又可以分为三种心理状态。

一、行为层面上的"听"

1. 表面的听

只是做出了一种听的姿态，实际上可能在想自己的事，或者在对对方的容貌或衣着评头论足。这种状态不仅不能听到有用的信息，而且会影响双方的关系。因为听者心不在焉的神情会使说者感到自己不受重视。如听者眼中透露出居高临下的评判态度，还可能使对方产生反感和抵触情绪。

2. 消极的听

好像是一台录音机机械地录下了一些声音，没有积极的思维理解活动，当然更不用说听出对方的言外之意了。这种状态虽然接收了对方提供的信息，但由于没有给对方积极的回应，说话者会感到自己说的话没意思，因而失去继续谈话的兴致和信心。

3. 积极关注的听

将自己全部的注意力都放到对方的身上，给予对方最大的、无条件的、真诚的关注。意为："你说的都很有意思，我非常希望了解你的一切。"在这种状态下，对方会感到自己十分重要，自己所说的话很有意思，因此会继续倾诉下去。

---

① 陈向明. 质的研究方法与社会科学研究. 北京：教育科学出版社，2000：195－198.

二、认知层面上的听

1. 强加的听

把对方所说的话迅速纳入自己习惯的思维体系，用自己的想法来理解对方的谈话，并很快做出自己的判断。在这种状态下，听者很容易过早地把自己的观点表达给对方，得出一些不客观的结论。

2. 接受的听

把自己的想法暂时搁置起来，主动捕捉和接收对方发出的信息，并注意根据对方的背景特点，探询他们所说的话背后的含义，理解他们的想法和建议。这种状态是人本型沟通中最基本的倾听方式，是一个合格的倾听者需要掌握的基本功。

3. 建设性的听

在倾听时积极地与对方进行对话，在反省自己的主观意见和假设的同时与对方进行平等的交流，与对方就现实话题进行建设性的思考。要达到这种状态，对倾听者的个人素质有较高的要求，必须具有较强的自我反省能力。当然，这种状态是建立在"接受的听"的基础上。

三、情感层面上的听

1. 无感情的听

听的时候不仅自己没有投入，而且对对方的感情表露无动于衷。这种状态下，由于听者自己没有情感表露，说者也不表露情感，继而说者会不由自主地压抑自己的情感，使沟通无法深入下去。

2. 有感情的听

对对方的谈话有情感表露，能够接纳对方所有情绪的反应，而且表现出对对方的情感表达方式可以理解。这种状态下，说者会受到感染，因而比较愿意自在地体会和表达自己的情感。

3. 共情的听

在无条件的倾听中与对方在情感上达到了共鸣，双方一起同欢喜共悲伤。这种状态是一种较为理想的状态，做到了"倾诉"和"倾听"的真正合拍。

第二节　怎样积极聆听

一、积极聆听的陷阱

听学生讲话时心不在焉、三心二意，往往是师生沟通失败的重要原因。在通常的人际沟通中，我们常常遇到这样的情形：当我们想向别人倾诉心声时，对方却往往急于发表意见或下判断。试想，作为教师的你，在聆听学生说话时，是否不经意地堕入以下的陷阱。

1. 说教和训话

例如，

生：老师，我一点也没有去碰小豪，他却无端把我推倒在地上！

师：你们成天在吵架、闯祸！我早就讲过你们女孩子不要与男孩子在一起玩，因为在一起玩就会有冲突，而且这些冲突让我好心烦！

2. 过早指导

例如，

生：我讨厌小军整天取笑我。

师：你可以避开他呀！或者你当做没有听见这些话。

3．放错重点

例如，

生：小惠最近好像讨厌我，不愿意跟我在一起玩。

师：你看小惠最近喜欢和谁一起玩呢？

4．打断话柄

例如，

生：我升到初三后，学校有好多测验，我常常觉得紧张，我……

师：我以前遇到考试的时候也是好紧张，不过，要升学嘛，总得拼搏一下的嘛！你不会有事的啦！

5．表面专注

例如，

生：老师，不知道为什么我看到化学老师就感到紧张、害怕，我很不愿意上他的课，他太凶了！

师：哦，我知道了！

以上几种方式是教师与学生在沟通时经常发生的错误。此外，还有以下几种聆听的习惯，是我们力求要去避免的：当学生讲话时，急于表达自己的反应；在学生讲话的时候，注意力不集中在听对方的话语上；听学生讲话，不断比较与自己想法的不同点；打断学生的讲话；当学生讲话时谈论其他的事情；仅仅只听那些自己想听的或希望听的内容。

二、教师不注意积极聆听学生的后果

聆听学生讲话不是教育本身的目的，聆听的真正目的是培养学生自己解决问题的能力，培养学生的独立性和自主性，培养学生自信、自爱等重要的心理品质。如果教师和父母使用沟通的"杀手锏"如命令、警告、训诫、讽刺、责难等语言，往往会导致学生们的反抗，然而，学生们还有一个常有的反应是变得顺从、依赖和沉默。

有较多教学经验的教师可能会有这样的体会：在班级中，有一些被称为"教师的小绵羊"的"乖学生"，他们对教师唯命是听，除了积极完成学校"正规的"学习任务外，没有自己的思想，也从来没有想过独立地去探索教师要求之外的有趣领域。这些学生通常会担任班级中的干部。还有一部分学生平时非常安静，但他们的心并不安静，并且常常脱离教师对他们的要求。美国教育学家杰瑞·法伯（Jerry Farber）在一篇论文中指出，这种学生是教师使用了沟通的"杀手锏"后所出现的后果，在大学中也存在。他说："……他们念了 12 年的中小学，到了大学时，他们能够服从命令。他们写作，就像他们的头脑经过了切割的手术一样。他们因为得到教师太多的服从性指令而变得极度的依赖。"

这些沟通的后果是违背教育本身初衷的。我们的教育目的是为了启发学生的潜力，是为了帮助学生激发他们本身固有的创造力和思维活力，是为了帮助他们成长为一个自信、自立的人。我们的教育目的不是培养学生的依赖性和服从性。但是，即使我们明确了教育目的，却对学生使用种种沟通的"杀手锏"，在最终的效果上还是违背了教育目的。教育目的是为了开启学生的潜能，培养学生的能力，不是扼杀学生的智能和创造力。

三、教师不愿意积极聆听的原因

为什么教师即使了解教育的目的在于培养学生的能力，却在与学生的沟通过程中经常使用不正确的沟通方式，造成与教育目的不一致的后果？其中一个重要的原因是教师不愿意聆听学生讲话。当学生提出问题时，当教师希望学生出现教师所期望的结果时，或者教师在传递一个教育内容时，教师通常认为所有教育的预期效果都取决于教师本人，换句话说，教师在整个的教育过程中，将师生之间本来应该共同来承担的责任，全部归到教师单方面来承担。在这种观念的引导下，教师在与学生沟通时，会将注意力放在发现学生问题并急于解决这些问题上——他们将学生的问题归结到自己的教育方式上，因此会急于给学生提供解决问题的答案，或者会急于直接"命令、要求"学生"应该"怎样来处理这些问题。

这种与学生沟通时所基于的心态，我们将它称之为自我中心意识。它是这样的一种意识状态：在与学生沟通时，从自己的愿望和主观判断出发，希望尽快出现自己所期望的结果，希望学生完全处于服从的地位来接受教师的影响。这种沟通是从教师单方面的主观愿望和教师权威意识出发的。基于这种意识的沟通给学生造成的后果是让学生产生一种无助的依赖性、不成熟与稚气：教师与学生在沟通时，不求培养学生的责任心，却对各年龄阶段的学生严加命令与控制，好像他们根本不足以信赖，也永远不能承担责任一样。如果学校不鼓励学生的独立性，实际上就是在促进学生对教师的依赖。

具体而言，教师不愿聆听学生进话的原因有以下一些。

（1）只关心学生的行为结果，不关心学生的心理过程；

（2）不喜欢讲话者或所讲的内容；

（3）认为有许多事情要做；

（4）不明白聆听的用途；

（5）有太多分心的事情，很难集中精力聆听；

（6）聆听学生仅仅是为了教训学生。

下面几个例子是一些教师在与学生沟通时，不愿意先聆听，急于将学生本来自己需要去解决的问题，归结到自己马上要给学生提供解决问题的答案上——

例如，

生：数学对我来讲太难了。

师：数学并不难。你的问题是，第一次遇到困难就放弃努力了。现在你再试试看！

又例如，

生：（在十分钟之内第四次跑到教师的面前）老师，这个答案对不对？

师：你知道这些答案是对的。

再例如，

师：（看到一个学生在纸上乱画却不按规定要求画画）你在干什么？

生：没什么。（把纸夹进笔记本）

师：你对作业不感兴趣吗？

生：（低语）不。

师：那你干吗要浪费时间？如果你知道什么对你有益，你该振作起来好好画。

学生：是。（但教师一离开又开始乱画）

在以上的对话中，第一段对话是教师过早打断学生的话，急于给学生下结论，提供解决问题的方法，但学生在这种泛泛的结论中感受到的是没有得到理解和心理支持，反而无助于学生增加对数学的喜欢；第二段对话是增强学生对教师的依赖性。这个学生以这种方式获得教师对他的认同，而教师迁就学生的这种心理动机，我们可以想象这个学生在第四次询问教师后，还会有第五次、第六次甚至更多的类似行为；在第三段对话中，教师把学生对学习的"不感兴趣"归结为教师的问题，然后接着训斥这个学生，学生的内在心理在教师的这种行为中并没有得到任何的改变。

四、教师聆听的价值

学生在他们成长的过程中会遇到种种问题。事实上，学生是在这种靠自己来解决问题的过程中逐渐成长的。这些问题的存在本身是正常又合理的，重要的是学生要在教师的引导下去积极地解决问题。

在师生沟通中，教师要明确问题的发生是学生应该承担的责任，还是教师本人应该承担的责任。如果应该是学生承担的责任，教师就要帮助学生树立"这个问题我要自己来解决，我可以通过努力来解决自己的问题"这样的意识。这种意识称为"问题归属意识"。学生如果能够逐渐、主动地来把握他自己的问题，并自己想办法去解决这些问题，他们就会从中逐渐学会积极面对自己成长中的挑战，学会相信自己的能力并为自己能够独立解决问题而勇于承担责任。在这样的独立意识引导下，学生们变得信任自己，信任自己的责任感，也同时会感谢教师对他们的信任。在这个过程中，他们就能够养成自信、自主和独立性。帮助学生确立"问题归属意识"，是教师聆听的价值所在。

下面是一个教师用"积极聆听"的方式来帮助一个学生处理问题的例子。学生主动解决问题的意识是在这位教师的积极聆听中激发的：

生：我把数学课上要用的东西全都忘记在家里了。

师：哦，你有问题。

生：是的，我忘记带数学书、题目纸和数学练习本。

师：想想看我们有什么办法可以解决。

生：我可以打电话给我的妈妈，让她帮我送来……可是她有时候不听电话。

师：那么这个办法有可能行不通。

生：我可以向学校图书馆先借一本数学书用，拿一张纸重新来做一遍题目。

师：看样子你把问题解决了。

生：是的。

在以上的这个例子中，大多数教师遇到这种情况，会把学生训斥或骂一顿，并向学生提供问题的解决办法："赶快回家去拿！"而这位教师的处理很巧妙——仅仅只用了聆听，就帮助学生解决了这个问题。

五、积极聆听的技巧

积极聆听能够帮助我们更准确地了解学生的真实状态，更理解学生，随之带来更好的交流效果。

1. 教师何时可以运用积极的聆听技巧

教师在对学生积极聆听时，最关键的态度是保持中立，即对学生所表达的一切既不反对，也不赞同。在以下这些情况下，教师可以使用积极的聆听技巧：第一，为了从学生那里获得更多的信息；第二，当学生谈论他们个人的情绪、感受、观点和事情时；第三，为了给学生启发和支持。

2. 积极的聆听技巧

积极聆听的技巧包括以下几个方面。

（1）专注行为。专注行为的目的是表达教师愿意聆听及接纳对方，专心地与对方同在，促使对方与自己建立信任感。专注技巧包括以下语言和非语言技巧。

①维持良好的视线接触，但不宜瞪眼直视，令对方感到有些敌意或受到惊吓。

②轻松自然的身体姿势，表示愿意聆听并鼓励对方谈话。

③双方保持适当的距离，太接近可能令人产生压迫感，太远令人感到不被接纳或不愿交谈，要判断适当的距离要视双方的关系而定。

④上身稍微前倾，以表示对对方的专注和有兴趣继续聆听。

⑤用非语言信息传送接纳的态度。例如，交叠双手或双脚的姿势，容易给人一种拒绝参与的感觉；相反，一个友善、微笑而放松的表情，通常表示接纳和有兴趣聆听对方的意愿。

⑥用适当简短的反应表达尊重、了解的态度。例如，用点头表示

"我明白""请多讲一点"等意思。

（2）简述语意。用简洁及扼要的语言把对方的主要观点和对它们的理解简要、概括地复述出来。这样可以令双方加深印象和了解，让对方感觉到他是被接纳的，从而增加彼此的信任。简述语意的主要要求有以下几个方面。

①留心细听对方说话的意思。在对方讲话的时候，试着从对方所有的信息（包括说话内容、面部表情、身体姿势及当时情况等）去了解他说话背后的含义及当时的感受。

②以简洁而同意的言词回应。了解了对方说话的意思后，要用自己所理解的话语回应给学生。

例如，

生：我觉得他真好啊！他对我好体贴，非常善解人意，同他一起出去玩好开心呀！

师：你觉得他很不错，也很喜欢与他来往？

又例如，

生：我真不知道他在想什么，一会儿叫我做这件事情，一会儿叫我做那件事情！

师：哦，他似乎让你有些无所适从？

③注意自己与对方的非语言信息。在讲话的时候留意自己和对方的身体语言所表达的信息。

④反应要择时，不打断学生的话柄。当对方的谈话稍微停顿，或告一段落时，将主要的感觉表达出来。但是，当对方需要思考时，就不要打断对方的谈话。

⑤在回应时要掌握精髓，对学生讲话中的内容不加多减少。

⑥措辞多元化，不一成不变。

具体来说，又有以下几种方法。

（i）解释。用自己的词汇解释讲话者所讲的内容，从而检查自己对对方的理解。当学生表达了几个要点时，教师可以抓住一个你认为最关键的，这将帮助教师使交流朝着你想获得的结果发展。

在运用解释的技巧时，教师可以用以下这些语句表达自己对对方的理解：

你好像……

你似乎……

你的想法是……

对你来说，那一定是……

让我们小结一下……

你一定觉得……

如果我认为你是正确的……

这些都是用陈述句来征询答案。如果用疑问句，得到的会是"是"或"不是"或更简单的答案。在积极聆听中，用陈述句来反馈，可以鼓励学生找到更完整的答案。

例如，

生：我觉得很气愤，因为我今天在早读课收第三小组的作文本的时候，他们组有人骂我是老师的小宠物。

师：看上去你觉得自己受到了侮辱，觉得自己身为班干部在为班级做工作，却被同学误解，感到很委屈。

生：是的，而且……

（ii）表达感受。当学生表达某些情绪时，传递你的理解。当学生有几种情感要表达时，教师可以抓住最后一个，这常常是比较准确的。

例如，

生：我真是厌烦透了！数学课老师天天在班上点我的名，说我在做数学题时太粗心、马虎。

师：是的，天天被点名确实很丢脸。

生：对的，而且这样被点名后，我看到这个老师就感到紧张。

师：看起来你在他的课上觉得有些不放松。

生：对啊！您想想我每次看到这个老师就紧张、害怕，我怎么可能喜欢他的数学课。

师：哦，你已经知道了你不喜欢数学课的原因是因为不喜欢数学老师这个人造成的？

生：对的，我只要看到他就不自在。

师：你把学习数学与数学老师这个人联系在一起了。

生：是的，其实这里面好像没有直接联系……让我好好想想……

（iii）反馈意见。反馈意见即把学生所说的内容、事实简要概括。

例如，

生：您不在学校的这几天，我们班委几个干部轮流负责班级的日常管理，早读课是小霞负责，课间操由体育委员负责。我们发现这几天班上大多数同学都很配合。

师：听起来你们做了大量的工作。其中，你作为班长带了一个好头。

（iv）综合处理。综合处理即综合学生的几种想法为一种想法。

例如，

生：咱们班的生物角中，现在只有几盆花，我建议再增添一些小动物。还有，图书角中，有一些书的内容有些过时了。墙报的内容也可以更换了。还有一些地方也需要整理。

师：你的意思是咱们班上一些主要的活动角都需要充实、更新，是吗？

生：是的。我想咱们班需要发动同学对整个教室里的环境布置提出新的想法，也要让同学们有机会显示他们的才华。

师：你认为这会一举两得，是吗？

生：是的。

（3）善于提问。提问的目的是为了帮助教师从更全面的角度去了解学生，给学生一个自我了解和内省的启发。提问有以下四个步骤。

①问开放式问题。开放式问题是指提出的问题没有一个简单的答

案，回答时没有固定的模式和规则，可以沿着这个问题所提供的话题，充分地提供细节和信息。与开放式问题相对应的是封闭式问题。它是指对所提出的问题只有一个答案，不能表达更多的细节和信息。

例如，下面是一些封闭式的问题。

你喜欢我们班级吗？　　　　　　　　喜欢。

你今年几岁了？　　　　　　　　　　十五岁。

你每天做完家庭作业需要多长时间？　两个小时。

你的好朋友是谁？　　　　　　　　　是××和××。

下面是一些开放式的问题。

你喜欢我们班级的哪些方面？

那个问题是怎样发生的？

关于这次秋游你有什么想法？

你喜欢跟好朋友聊什么内容？

在提出开放式问题的时候，避免用"为什么"开始的问题，例如："你为什么迟到？"学生对这样的问题容易产生防御心理，不愿意给予教师想要的信息。

②认同。当学生在讲话时，应用认同的技巧表示教师在听，并鼓励学生讲下去。可以用点头、附和声以及身体语言对对方表示认同。

③重复。做出积极聆听的答复，用自己的语言把学生所讲的意思或感觉表述出来。

④沉默。当教师做出积极聆听以后，可以稍稍停顿一下，让学生能够有时间思考教师所说的话并决定如何反应。因为积极聆听的应答会激发出更加深思熟虑的反应。这中间可能需要几秒钟来反应，需要耐心。

（4）用简洁具体的语言来回应。教师在聆听的过程中，一定要用简洁具体的语言来回应。简洁具体的意思是教师回应给学生的语言，用字措辞不仅要适当，而且还要简单和清楚，力求避免含糊不清、模棱两可的用语。这样的回应可以有以下三个作用。

①使教师的回应和学生的感受、经验更加接近。

②促使教师对学生有准确的同理和了解，让学生可以在最快的时间里对错误的地方做出修正。

③鼓励和帮助学生透过不断对自身的了解，对自己更加了解。

在聆听学生的过程中，教师的回应要简洁具体，目的是帮助学生去清楚了解他们的感受和经验。作为教师，通过积极的聆听，帮助学生避免使用一些太普遍、太抽象的词，例如"很小心""很马虎""很认真""很仔细"等字眼。因为这些字眼所包含的意思通常非常含糊，要求不明确，对于每个学生来说会理解成不同的意思。比如说，"做作业时很仔细"的意思可以理解成"完成作业的态度要认真"，也可以理解成"作业做完以后认真地检查"，而且即使学生知道了"很仔细"的含义，但是紧接着的一个问题是："什么叫认真？"学生只能从这些字面上来模糊感觉，但是不一定能够解决真正的问题。

因此，教师在回应学生时，尽量使用具体、清楚、准确和特殊的字眼，以帮助学生清楚分辨不同的感受和经验。同时，我们应该针对学生特殊的、独一无二的个人化的情况来回应。这样才能帮助学生对问题作进一步深入、准确的探讨。可是，许多教师在对学生回应时，习惯于使用普遍化和标签化的词汇，结果这种聆听不能带来积极解决问题的效果。下面的对话，就无助于帮助学生解决问题：

例如，

生：老师，我觉得我们班的女生和男生不太团结，可是却有几个男女同学特别要好呢！

师：你说我们班级中同学之间的交往有些问题？

生：我的意思是说现在班上有同学在传言谁跟谁在谈恋爱。嘿嘿！老师您还不知道吧？

师：我的确还不知道。不过，也许是同学们到了青春期以后就会自然出现这种情况吧？

又例如，

生：我想知道这次考试失败的原因。我自己估计是因为太粗心了。

师：是的，你这次考试失利的原因是太粗心，而且还没有审对题。

在上面的两段对话中，教师的回应语都大而无当，使用的是概括性的字眼，对解决问题无益。其次，学生话语中的字眼也相当含糊、空泛，教师应该用回应的方法帮助学生明确其具体的感受，其方法可参见本书第二章第二节内容。

六、积极聆听的运用原则

以上，我们讨论和陈述了积极聆听的主要技巧和方法，了解了积极聆听主要有哪些表达方式和使用要求。本节我们将来探讨教师在对学生使用积极聆听这个方法时，还要贯彻哪些沟通原则，以保障聆听发挥出更大的效能。

1. 身体的参与

以轻松自然的坐姿、眼睛的频繁接触面对讲话的学生，用点头或适当的评论来显示你跟着对方的思路在思考，同时，身体稍稍朝前倾斜，表示你在集中注意力聆听对方讲话。不要交叉双臂，也不要跷起腿。

2. 心理的参与

不要依仗教师的权威感和优越感来聆听学生的谈话。要注意是为了理解去聆听，而不是为了评价去聆听的。在聆听的过程中，教师不要轻易给学生下断语，而是注意去聆听学生讲话时的思考系统和表达系统，在这个过程中，不要评价，暂时放弃自己的价值观和立场，尽量无我地进入学生的内心世界，并正确地过滤信息。

3. 检查

如果教师不敢肯定自己所听到的或理解的是否正确，就需要检查一下，学生能够感受到教师的这种关注。另外，教师给予自己时间去思考，不要觉得讲话的学生一停下来，就得有所反应。

4. 集中注意力

集中注意力能够提高聆听的效率。其中的关键是：给予讲话者时间去讲完他的内容；让讲话者不间断地讲完；抓住重点；给出非语言信号（如点头、眼睛接触、赞同声），表示在聆听；记住讲话者所讲的内容。

积极聆听既是一门技术，又是一门艺术。关键是只有"用心去听"才会真正掌握积极聆听的真谛。"教育是爱的一种方式。"毫无疑问，积极聆听应该属这种方式。

练习：

1. 试就下列每一句话简述其语意：

（1）学生：算了！读书何必那么用功？我花了一个星期的时间来准备这篇作文，可是老师只给了我 60 分。而小棋只是找本书来东抄西凑，居然拿了个 70 分。我不知道老师是如何来评分的！

你的回应是：＿＿＿＿＿＿＿＿＿＿＿＿＿＿＿＿＿＿＿＿＿

＿＿＿＿＿＿＿＿＿＿＿＿＿＿＿＿＿＿＿＿＿＿＿＿＿＿＿＿＿

＿＿＿＿＿＿＿＿＿＿＿＿＿＿＿＿＿＿＿＿＿＿＿＿＿＿＿＿＿

（2）学生：老实讲，我好想去参加这次周末晚会呀！但是一想起下星期一的外语测验，我又不敢去。我周末需要在家里好好补习一下。但是如果不去的话，真是可惜呀！这样让我即使不去参会心里还是痒痒的。唉！真不知道怎么做才好！

你的回应是：＿＿＿＿＿＿＿＿＿＿＿＿＿＿＿＿＿＿＿＿＿

＿＿＿＿＿＿＿＿＿＿＿＿＿＿＿＿＿＿＿＿＿＿＿＿＿＿＿＿＿

（3）学生：我觉得小月同学什么都比我强！你看，她长得又比我漂亮，还比我会说话，不像我常常得罪人。

你的回应是：_____

_____

_____

2. 请将下面封闭式问题改换成开放式问题。

封闭式问题	开放式问题
那件事情是什么时候发生的？	_____
你喜欢数学老师吗？	_____
我们班级在十月份出外秋游好吗？	_____
你与其他同学商量好改选老班委的办法了吗？	_____

3. 检查一下你平时对学生提出要求时的抽象、含糊的习惯语，用相对精确的词汇来代替。

8

课堂管理中的师生沟通

　　小小的课堂实际上是一个小社会，也是教书育人的"主战场"。绝大多数的师生沟通发生在课堂教学过程。教师在课堂上如果不能和几十个活生生的生命做有效的沟通，他的学问再好也无用武之地，当然更谈不上教育教学目的的实现了。一些研究表明：绝大多数教育教学失败的教师首先不是由于专业知识的不足，而是由于不善于和学生做良好的沟通。

　　其实，许多教师并非不想和学生做有效沟通，而是没有这方面的系统思考。即使有一些实际经验，也无暇或无法总结提升。"运用之妙，存乎一心"，如果你是个有心人，就会发现：学习和运用一些课堂纪律管理的教育心理学理论，注意一些细节的处理，从一些小小的改变开始，课堂里师生沟通的效果就会有明显的不同。

第一节　课堂管理中的常见问题和沟通策略

一、事与愿违的课堂环境

心理学研究发现，人的心理在一定程度上受到环境的制约和影响。所以，营造一种良好的课堂环境十分重要。但有时人们会不自觉地违背这个原则。

例如，许多教师，特别是班主任经常喜欢布置教室，尤其是在领导检查或同行观摩时更要大动干戈。这有益于学生的听讲吗？

一位教师曾给听课的学员出过一个谜语：

教室里有些东西，下课时没有一个学生看，但上课时他们却看得非常仔细。

大家对着教室左看右看、上看下看、前看后看，悟出了谜底，都若有所思地笑了起来。

原来，教师指的是教室黑板两侧墙壁上挂着的一幅名人语录和一张教室卫生评比表。

确实，教室外的环境也许教师不能完全控制，但教室内的环境教师还是有可能调节的。为了使教室里形成良好的教学环境和沟通氛围，教室前面部分的装饰物，包括宣传画、名人语录、墙报、学生评比表、玻璃橱（里面还可能陈列着一些吸引学生"眼球"的物品）等，即使不能撤掉也应该布置在教室的后半部分。这些东西分散学生的注意力，影响师生沟通的效果，事与愿违。

又例如，国外的教室大都铺设地毯，桌椅呈马蹄形或圆形、半圆形、扇形状分布，旨在给师生互相沟通创造理想的环境。相比之下，我们的学校教室，甚至许多新建的教室使用的还是那种铁制（或木制）结构的、固定排排坐式的桌椅。由此可见，我们的某些教育观念还是比较落后。

只要有可能，教室里的环境布置、温度与湿度、灯光的亮度和色彩、课桌椅的颜色和高度及排列方式等都应该尽量设置或调节到最佳状态，让教室里充满温馨与和谐的气氛，师生沟通就能收到事半功倍的效果。

二、去掉烦人的"口头禅"

有些教师在语言中经常夹杂着许多不是标点符号的"标点符号"，如："这个这个，那个……""就是说……""啊、啊……"等等，学生听来会感到十分心烦，甚至还会有人帮你义务"记数"——数一数在一节课里你一共说了多少句口头禅。即使是外语教师，也得注意不要沾上一些"洋口头禅"。千万别让学生送你一个"OK 老师"或"SO SO 老师"的雅号，然后认为你的教书育人水准也"JUST SO SO"。

在师生沟通的各种语言障碍中，教师的口头禅属于"最烦人的语言"。要使教师的语言流利，基本上没有口头禅，甚至听上去达到了出口成章的程度，除了要非常熟悉所讲内容之外，有意识地、熟练地使用一些连接词十分重要。例如，可以把"首先……接着……然后……最后""不但……而且……""一方面……另一方面……"等若干组连接词预先串接在自己的教学内容中，作一个简短的内心预演。再加上适度的停顿和节奏处理，你的表达效果就会大大提高。

当然，把普通话说好是一个最基本的前提。

三、"一不小心"的后果

有时教师的一个无意识的动作、一句无意的话语，都可能给学生造成消极的暗示，妨碍师生之间的积极交流。

请看一种常见的情形：

离下课还有 15 分钟，教师却不加遮掩地看了看表，对学生说："现在，我们讲最后一个问题……"课堂里不少同学马上开始蠢蠢欲动：有人开始看手表，有人东张西望，即使再有笔记要记也写得歪歪扭扭……

又如，一位教师刚走进教室就皱起了眉头，接着又望着窗外（外面不远处是一个正在施工的工地），然后开始埋怨："噪声怎么这么大？你们就一直在这样的环境里上课？"学生听后发生了共鸣，也在心里抱怨："是啊！教室的环境这么差，叫人怎么学得好？"

师生在上课开始时就处于如此心理状态，这节课的效果可想而知。面对教室外的噪音等不可能马上消除的干扰因素，教师绝不能当着学生的面表现出不满、烦躁等消极情绪。聪明的做法是转移注意力，把干扰的影响降到最低程度。教师一站上讲台，就进入了职业角色，对自己的一举一动、一言一行都必须十分小心，而不能动辄就犯"一不小心"式的错误。

四、突然"暂停"的效果

一般认为，教师的语言不但要做到条理清楚，节奏分明，还要做到生动活泼，抑扬顿挫，声情并茂。其中最关键的特征应该是富有变化。一成不变的语音、语调和语速会使学生昏昏欲睡，甚至会感到是在受折磨。学生只会不断在心里说："天哪，什么时候才会下课！"

如果发现个别学生不注意听课，一般来说，千万不能以不断提高声调和音量的办法去"盖住"学生的说话。因为这时你越是喋喋不休，学生越会觉得你这台"播音机器"一切正常，然后放心地继续干自己的"私活"。而这时如果你突然来个停顿，他们的反应是："怎么回事？'这台机器'出毛病了？"他们开始认真注意你的讲课。因为心理学的研究表明，变化的刺激才最容易引起人的注意。

一些教师由于习惯用高分贝的音量来讲课，有时还扯着嗓子对学生大喊大叫，若干年后就会伤心地发现：自己原来的男高音或女高音怎么已经变成了"男粗音"或"女沙音"！仔细听听不少中小学教师，尤其是教语文或长期当班主任的教师们的嗓音，就会体会到这个道理。有可能的话，教师们应该像声乐演员那样去学一些用嗓技巧，这样他们在课堂上讲话时就会体会到一种"举重若轻"式的惬意，表现力也会更强。

教师的语言是一种艺术，而一成不变的艺术一定不会有生命力。

五、活用你的体态语

在教师的体态语中，也许眼神最为重要。当你刚走进教室时，给全班学生一种亲切的、职业性的环视会让学生增强对你的信任感，使你的课有一个良好的开端。

对上课不认真的学生，教师至少可以使用两种不同的眼神来应对：对那些自觉性差、经常走神的学生，可以使用"威慑性"眼神盯视一会儿，使他们"不敢不认真听课"。而对那些平时表现较好，只是偶尔犯错的学生，可以使用"打招呼的眼神"，瞥视一下就马上移开，使他们"不好意思"不认真听课，并感到"老师只对我有一会儿的坏印象，现在改正还来得及"。这种眼神的效果在一定程度上取决于师生之间平时的关系如何。

对一些自控能力较差的学生，教师还可以通过一边教学一边在他们的座位附近走动、甚至站立不动等办法来加以控制。这种方法称为"邻近控制"。如果想不露声色地表扬那些性格内向而敏感度高的学生，一次赞许的瞥视再加上会心的微笑，就可以使他们快乐不已。

当然，会运用一些生动的手势语来"姿态传情"、善于用"方位变化"等因素来增进师生沟通的效果，都是教师应该掌握的师生沟通的基本功。

六、一张一弛的沟通之道

课堂教学过程中，教师是沟通的主动方，应该掌握好整堂课的节奏。不少研究证明，课堂上产生的许多沟通问题是由于教师对教学节奏掌握不好、安排欠妥而造成的。所以，教师对此决不能掉以轻心。

上课刚开始时，学生的精神最为饱满、注意力最为集中。因此，稍加复习旧知识后，应该给学生高效率地传授新知识，尤其要着重讲解理论性较强的部分。等到学生稍感疲劳时，教师可以适当做些调整，如开个小玩笑，说几句诙谐的话，或者索性让学生做几个小练习。但一定要注意，这种调整要控制到能放能收的程度，不能失控。特别需要指出的是，有些成人认为并不十分好笑的事情，却会使少男少女们笑疼肚皮、笑弯腰，所以教师必须在选材方面十分慎重。然后，教师可以继续做进一步的讲解。遇到重点、难点时，教师可以通过提高声调、多次反复等办法来加以强调。当学生们的脸上逐步显示出投入的神色和理解的喜悦时，课堂气氛就逐渐进入了佳境。当下课铃声一响，教师即使有再好的内容也不应该继续再说，因为此时学生都已无心恋课。唯一可以做的事情是布置作业。教师千万不能养成"拖堂"的习惯。"拖堂"是教师的大忌，老是"拖堂"的教师，学生一定不会喜欢。

当然，以上所谈到的都是调控课堂节奏的一般规律，具体实施时要视各种实际情况而有所变通。但"张弛有道"一定是课堂沟通得以顺利进行的基本保证。

七、课堂上的"急中生智"

课堂上有时会发生一些突发事件。能否妥善处理好这些事件，是对教师人际沟通基本功的考验，也是教师"教育机智"（苏联教育家马卡连柯语）的体现。

请看一个真实的例子：

上课时教师刚把一块小黑板挂上，一转身，小黑板"咣啷"一声掉了下来。教师只好把它重新挂上，但一松手，小黑板又摇摇欲坠。教师急中生智，只能用双手硬托住黑板，等它稳定下来后，再想法慢慢挂上。这时，教室里的学生已是笑声一片。

想想看，如果你是这位教师，当时会做出什么样的反应？也许你会感到窘迫？也许你会恼怒？甚至当面训斥学生？

这位教师是这样做的：当她确认小黑板已经挂稳了以后，先转过身来回到讲台前，定了定神，然后朝全班同学环视一下，等教室里安静一点后，向大家问了一个问题："同学们，刚才我们讲到什么地方了？"这个问题问得非常好！刚才的教室气氛就好像一列火车脱了轨，而通过教师巧妙的一问，又让它"拨乱反正"、重上正轨了。

类似的例子还可以举出许多。从中我们可以得到的启发是：教师在遇到突发事件时，首先必须冷静。在快速地审时度势后，再做出一个尽量正面导向的反应。最忌讳的是不假思索地做出不适当的反应。

过去，教师处理各类突发事件的能力，主要是靠长年累月教育实践的积累，靠久而久之形成的、很难说清楚的一种"功力"。但这样的积累需要较长的时间。如果通过师生沟通的课程对师范生和青年教师进行系统的训练，教师这方面的能力就会有很快的提高。"千里之行始于足下"，从一点一滴的变革认真做起，师生沟通就一定会收到实在的效果。

第二节　课堂纪律管理理论与师生沟通

所有的教师都渴望着自己施教的课堂充满秩序、节奏与生气。一堂失去了纪律和秩序的课，其中的噪音分贝远远超过了人们能正常忍受的标准，让学生变得烦躁、易怒、注意力不集中、无法安静听讲。

　　无秩序的课堂纪律是造成教师挫折感、专业倦怠感的重要原因。据统计，在上海，在生源较差的中学中，一位教师在讲课时，50％以上的注意力要用来维持课堂纪律；即使在较好的学校里，教师也要用不低于30％的注意力来维持课堂纪律。据我们统计，教师厌教的主要原因是在维持课堂纪律的过程中，投入了大量的消极性情感，使用了大量的命令性语言。绝大部分教师遇到乱糟糟的场景时，会扯起喉咙大叫："安静！""不要讲话！""坐下！"

　　长此下去，这样的师生沟通会慢慢磨灭教师对教育的热情，也会日渐减损学生对上学的热情。

　　在传统的教育研究中，课堂纪律的维持常常是备受忽视的，它仅仅被视为差生教育中的一个重点，缺乏从更宽泛更深刻的角度来研究。课堂纪律在师生的心灵交流中其实占据了一个非常大的位置，无论是新教师还是资深教师，在课堂教学中都需要时时面对，需要掌握维持纪律的实用沟通技巧，这里我们给大家介绍几种国外的课堂纪律管理理论及其应用技巧。①

一、目标导向理论

1. 什么是目标导向理论

　　课堂上经常会出现这样的情境：某学生上课时捣蛋，你十分气恼，就罚他站在讲台前面。这个学生却表现出满不在乎的神情，还对着全班学生怪模怪样地扮鬼脸，引得大家哈哈大笑。你感到更加气愤，于是，一场更加激烈的冲突爆发了……

　　其实，按照鲁道夫·德瑞克斯目标导向型理论的分析，这时的您已经中了学生的"奸计"！

　　课堂管理的目标导向型理论的代表人物是奥地利人、美国芝加哥医学院精神医学教授鲁道夫·德瑞克斯（Rudolf Dyeikuys）。他曾经与著

---

　　①　金树人. 教室里的春天：谈教室管理的科学与艺术. 台北：张老师出版社，1989.

名精神医学专家阿德勒长期合作，研究儿童和家庭心理咨询问题。鲁道夫·德瑞克斯认为：

（1）学生需要被认可和得到尊重，他们的所有行为反映出想得到接纳、重视的迫切愿望。

（2）学生有时表现出的行为是因为他们错误地认为只有这样做才能得到肯定，这些想法被德瑞克斯称为错误目标。

（3）学生如果感到自己未被认可，他们的行为就会转向错误目标。

（4）教师应该能够确认学生的错误目标，并避免给予增强。

（5）教师管理的重点是教会学生自我约束。

这种理论的最可取之处在于分析了有纪律问题的学生的深层心理，指出了他们的错误目标和教师的相应对策。

2. 学生的四种错误目标

（1）获得注意。当学生发现自己无法得到所需要的认可时，他们会转而以不良行为来获得注意。他们也许会捣乱，要求特别的好处，不断要求教师帮助他们做作业，拒绝听课，或问些不相干的问题。有些好学生也可能特别想要引起教师的注意，只要得到教师的注意，他们就会表现得很好；如果忽略了这种"获得注意"的需要，他们也可能转向以较不被接纳的方式来引起注意。

如果获得注意的行为没有使学生得到认可，他们将会转向下一个错误目标——寻求权力。

（2）寻求权力。寻求权力的学生觉得要想获得他们想要的东西，唯一的方法就是对抗成人。他们的典型想法是：如果你不做我想做的事，你就是不承认我！这种对权力的需求通过争辩、反驳、说谎、发脾气和攻击等方式表现出来。如果这些学生能使教师迎战，他们就感到已经赢了，因为他在乎的是让教师卷入权力战斗，至于自己实际能否得到就不重要了。如果他们在权力战斗中输了，就会转变到更严重的不良行为——寻求报复。

（3）寻求报复。由于前两种目标没有达到，学生的错误目标就变成：只要我有力量去伤害别人，我就会变得重要。实际上，他们是通过伤害别人来补偿自己受伤的心灵。由于在心理上已经准备受罚，他们显得恶形恶状，残忍凶暴。他们看上去惹的麻烦越大，自己觉得越光荣，并认为越被讨厌胜利就越大。

其实，在虚张声势的勇气之下学生自己也有一种挫败感，他们渐渐地感到自己毫无价值和毫不可爱，这些感觉会使他们退缩到下一个错误目标——表现无能。

（4）表现无能。到了此阶段，学生会觉得自己是无能的，并认为是完全的失败者，没有必要再去做新的尝试。他们会退出任何增加失败感的情境，以保持自己残留的一些自尊心。他们的想法是：只要别人相信我是无能的，就再不会来管我了！有这种目标的学生会"装聋作哑"，对教室里的各种活动他们毫无兴趣，非常被动，甚至拒绝参加。他们不喜欢与其他人有任何互动，教师和其他学生很难使他们有迅速的转变。

以上的错误目标都基于一个想法：它们是使自己显得重要的一种手段。通常学生一次追求一个错误目标，但不时改变目标。

3. 教师的应对策略

（1）怎样感受学生的错误目标。教师可以通过以下两个途径来感受学生的错误目标。

根据教师自己对学生不良行为的反应

教师本人的感觉	学生的错误目标
感到烦恼	获得注意
受到威胁	寻求权力
受到伤害	寻求报复
学生无积极反应	表现无能

根据观察学生对于纠正其行为的反应

学生的行为	学生的错误目标
停止不良行为后又重复	获得注意
拒绝停止或增加不良行为	寻求权力
变得凶暴或敌视	寻求报复
拒绝合作、参与或互动	表现无能

（2）怎样确认学生的错误目标。教师可以通过提一些友善的、不带胁迫感的问题来确认学生的错误目标，如："是不是你想要我注意你呢？""是不是你想要证明没有人能够指使你？""是不是你想要伤害我或其他人？""是不是你想要我相信你不想也不能做交代过的事情？"提这样的问题可以引发师生之间的沟通，使学生不能获得激怒教师引起的乐趣，也许问题行为就此消失，使老师掌握沟通中的主动权。

（3）怎样应对学生的错误目标。当教师一旦确认了学生的错误目标，就可以采取行动，修正学生的动机，引发学生的建设性行为。针对学生不同的错误目标，德瑞克斯建议教师采用下列不同的应对策略：

①针对获得注意的错误目标。

a. 当发现有学生正在追求"获得注意"的错误目标时，故意忽视、拒绝给以注意或帮助。因为教师如果坚定地忽略学生要求过度注意的欲望，也许就会迫使学生改变行为，寻找获得肯定的新方法。

b. 当学生有些行为已打搅上课时，教师可不动声色地客观描述一下他们的行为。例如，"我看见你在东张西望。""我发现你没有认真做作业。"

c. 针对学生的目标予以当面质询也有一定效果。

你想要我在下一个小时里注意你多少次？15 次够吗？

然后学生行为一有偏差时：某某，第一次，第二次……

在采取以上两种策略时，要使学生感到：虽然他们得到了所需的注意，教师也没有公然责骂和批评他们，但教师只是在观察他们，并不意味着容忍他们。

d. 在学生没有要求注意时给予注意（特别是当他们表现出良好行为时）。

e. 平时要鼓励学生以有用的行为来获得注意，激发他的内在动机，并让学生懂得学习的自我满足功能是最重要的。

②针对寻求权力的错误目标。这里的关键是教师观念的转变。因为大多数教师，特别是"师道尊严"观念较强的教师一遇到学生对教师权力的挑战，第一反应就是受到威胁，于是会坚决抵抗。殊不知教师的抵抗和获得胜利只会使学生变得更加充满敌意和加剧反抗，并企图寻求报复。所以，这时教师可以采取以下一些应对策略。

a. 不主动扮演权威人物，卷入权力斗争。表现出虽不对学生让步，也不想和学生争斗。

b. 让违规学生了解与教师发生冲突，可能引起与全班同学的冲突。如坦诚向全班宣布：我已知道有人需要权力，是否让全班停止活动，等待捣乱活动的停止。

c. 想办法让学生的行为改向，如教师可把学生拉到一旁说："体育课时你说的话非常没有运动员风度，别人都很尊重你，你认为你能做个好榜样吗？"

d. 暗示他们已经拥有了权力，如让违规学生提出改进意见。如果学生提不出建议，教师就可以提出一些建议供大家选用。

教师应该懂得，如果自己避免做一个权威人物，反而会减弱学生的气焰。因为退出争斗的教师会使学生寻求权力的行为无疾而终。

③针对寻求报复的错误目标。教师要想与寻求报复的学生沟通似乎比较困难，因为这些学生已经伤害了自己，所以觉得伤害别人也是理所当然的。但学生此时最需要的还是了解和接纳。较好的方法是：

a. 选出一位众望所归的学生去和捣蛋者建立友谊，并协助他发展建设性行为。

b. 塑造情境，使想报复的学生有机会展现才华和长处，使他们懂得，只要有良好的表现，还是有机会获得同学的接纳和确立在班级中的地位。

c. 暗示捣蛋者，再继续下去会让所有的人都讨厌。

d. 说服全班同学，让大家一起来帮助和引导这位学生。

④针对表现无能的错误目标。由于这类学生目前已不是公然的捣蛋者，教师也往往想放弃他们。实际上，他们是经过了各种失败后觉得自己已无药可救，产生了"装聋作哑"的消极想法。再发展下去，就会对学生的个性造成长期的不良影响。因此，教师应该更加重视这部分学生。德瑞克斯认为，帮助这类学生最重要的前提是了解他的主要想法。根据他的研究，这类学生的想法主要有：

a. 野心太大——不能成为最好的，就不再做任何努力。

b. 竞争心太强——觉得无法和别人做得一样好，就想从任何要比较的情境中退出。

c. 处于过多压力下，无法达成他人的期望，从而拒绝任何想成功的努力，等等。

要改变这类学生是一种较为长期、细致的工作，但教师决不应该放弃这些学生。最重要的是——他们即使付出最微小的努力，教师也应该敏锐地注意到，并给予鼓励和支持。鼓励和支持的是他们的努力，而非成就。相反，教师对这类学生任何挫败情境的指责都会增强他们的无价值感和表现无能的欲望。"一个小失败并不意味着永远的失败"，教师一定要让学生认清这个事实。

现在，如果你在课堂上遇到一些捣蛋鬼的"发难"，也许再也不会难以应对了吧？

二、和谐沟通理论

教育学理论长期争论不休的一个焦点就是"教师中心论"还是"学生中心论"。同样，我们在研究师生沟通问题时，视角和着重点也有这两个方面的不同。这里，我们介绍一种以教师的以身作则为主要出发点的课堂管理沟通理论——和谐沟通理论。

和谐沟通理论的代表人物是美国心理学家金纳（HaimGinott）。金纳出生于以色列，曾经担任纽约大学的教授，并担任过联合国教科文组织的咨询顾问。在他的《师生之间》一书中，他从人本主义心理学出发，提出了许多关于师生沟通的观念和技巧。

金纳的和谐沟通理论的核心是：

（1）教师最好的沟通方式是和谐沟通——使学生对情境及自己的感觉相协调的沟通。

（2）教师首先应该以身作则，做出和谐沟通行为的示范。

（3）课堂管理沟通是一小步一小步地建立、巩固课堂常规的过程。

（4）和谐沟通须通过理性信息、邀请合作、正确表达等一系列沟通方式来实现。

1. 和谐沟通理论的主要内容

（1）以身作则。在教室里，教师是具有决定权的权威角色。他们能教化学生，也可能误人子弟。这就取决于他们是否能营造良好的学习气氛。而良好的学习气氛首先又取决于教师本身是否具有对学生发自内心的尊重，能否与他们建立一种和谐与真诚的沟通方式。

如果教师从内心深处认同和谐沟通的原则，他们就会自然而然地流露出对学生的亲切和真诚，流露出乐于助人和接纳人的态度，同时十分关注自己发出的信息对学生的自尊心是否有影响。教师内心的信条应该是：我希望自己如何对待学生，他们也能用同样的方式对待我和其他人。

所以，和谐沟通理论相信：如果教师一贯有礼、助人、尊重人，用冷静和建设性的方式处理问题，学生就会潜移默化地向教师同样期待的方向发展。反之，学生也会亦步亦趋，不学好样。

（2）理性信息。理性信息是指对情境而非学生人品的用语，即一般说的"对事不对人"原则。根据这条原则，当学生惹了麻烦时，教师应只针对情境描述有关的事情，不要随便评定学生的人品和人格，然后让学生就客观情境判断对错及对自己的感觉，然后再做出理性的反应。金纳认为，人类理智的行为有赖于相信自己对现实环境的知觉能力。如果成人经常责备、贬低、说教、恐吓学生，久而久之，会使他们渐渐否定自己的感觉，并依赖别人来判断他们的价值。

例如，两个学生在本该安静的时间内讲话，破坏了教室的纪律。

理性信息的表达：现在是大家安静的自修时间，需要绝对的安静。

不理性信息的表达：你们两个太过分了，根本不考虑别人在做什么！

（3）邀请合作。教师在与学生沟通时，应该表现出邀请他们合作的主动姿态。邀请合作的主要方法是：在开始活动前，先与学生一起讨论，决定活动所需的行为。如果在活动中出现了一些问题和分歧，可以引导学生自己讨论应该怎么做。

例如，"现在你们有的人想继续观看这部录像片的续集，有的人想开始做今天的数学题，这可以由你们讨论决定。"

如果学生还不能决定，教师可以提出若干种方案，再让学生自己决定采取哪一种。

教师用这样的办法可以减低学生的依赖感，于是，学生就会觉得他们自己可以控制教室里的事情，可以选择自己解决问题的方式。如果教师经常邀请学生合作，长此以往，他们会渐渐地不依赖教师的指导，而且会越来越生活在自己所设定的行为标准之中。教师应该把邀请学生合作的心态渗透到自己平时的一举一动、一言一行之中。

请看一个课堂上常见的情形："把语文书收起来，放到桌斗里。把你们的数学课本和作业本拿出来，再拿出一支铅笔，翻到课本的第65页，我们开始做习题。今天我们要做的习题是……"

这些话已经大大低估了学生的理解力和主动精神，这时只要代之以下面的表述就可以："现在是数学课，今天要讲的内容在65页。"

经常用这样的语言才能激发学生自发的合作意向和责任感。

（4）注意表达。金纳在改进教师的表达方式方面有许多有价值的论述，其中有关表达愤怒、赞美等对教师最富启迪。

①学会表达愤怒。教学是一项艰巨的工作，疲劳、挫折感、冲突等难免会导致教师发怒。和许多心理学家、教育学家不一样，和谐沟通理论认为教师应该表达出他们的愤怒。因为教师不应该被看做是圣人，也不应该否认自己的或学生的情感。教师的行为该是自然而真实的。但是教师必须学会如何表达反感甚至愤怒，同时不伤害学生的人格特质。具体做法如下。

教师在表达自己的愤怒时，先应扪心自问："我生气的方式是不是和我的学生期待我表达的方式一样？""我是否在班上示范我所期待出现的行为？"

②使用"我向信息"的语言。例如，"我很生气。""我很失望。"

而不能老是说："你真是不可救药！""你们只顾自己，根本不顾别人！"

③增强语言的力度。教师表达愤怒时，学生的注意力会全部集中在教师身上。借此机会，教师可以充分发挥自己语言的穿透力。

例如，"我很惊讶，也很愤怒，又感到懊恼。因为我看到了不可原谅和无法接受的行为。我希望立即停止！"

配合适当的手势和斩钉截铁的语调，教师的语言会给学生造成深刻的印象。但要注意不能频繁地使用这种方式，否则也会失效。

④谨慎使用赞美。赞美虽然很有价值，但使用不当也会造成对学生自我意识的伤害。和谐沟通理论特别忠告教师谨慎使用评断式赞美——评断学生人格特质的赞美。教师应该把重点放在学生的行为上，而不是学生的人格上。

例如，"你很了不起！""你真是个好孩子！"

教师应试着一方面不用言语评断学生的行为，另一方面又能表达出对该行为的赞许。教师可以从学生努力的程度或自己的感受等角度来表达。

例如，"很高兴你们能安静地自修。""今天能与你们一起画画，我的感觉非常好。"

⑤不讥讽和标记学生。许多成人视讥讽为能事，教师有时也喜欢使用讥讽以显示自己的聪明。许多研究表明，学生对教师的讥讽的主要感觉就是受辱。哪怕是一些年龄较小的学生；即使他们没有完全听懂教师讥讽的内容，仍然会感到他们受到了取笑或贬抑。因此，教师应该杜绝所有的讥讽言语。

标记（归类）学生也是教师常犯的错误。常见的说法有："你太懒惰，又不肯负责任，将来一定一事无成。""你这种人本身就不聪明，还不肯努力，哪里是考大学的料！"

这类话语的实质是教学生如何认定自己。如果经常被人这样说自己，他们就会相信这是真的。长此以往，他们的表现会越来越符合这种负面的形象。教师应该以协助和鼓励来代替标记学生。我们可以对学生说："你的分数是低了一些，但我们一起努力，就一定会进步。""你想考艺术类学校吗？拼搏一下肯定行。学校资料室里有不少历年的考试资料，你参考一下，好好准备吧。"

2. 教师的十二大正确言行和十大错误言行

和谐沟通理论非常重视教师以身作则的作用，要求教师平时不断反省、改进自己的言行，并通过对学生的常规训练，"积小胜为大胜"。因此，这种理论对于教师的言行有许多具体的描述和研究。

（1）教师的十二大正确言行。

①以身作则。如前所述，教师希望学生表现出怎样的行为，首先自己就要做出榜样。这和我们的古训"学高为师，身正为范"正好不谋而合。金纳重视教师的榜样作用，并注意落实到每个细节。

②接纳情感。教师接纳学生使学生相信，教师即使对他的某些行为和想法不认同，甚至认为他们必须改变这些行为和想法，但他在教师的

眼中仍然是一个有潜力的人。"我即使有缺点和不足，但是老师仍然喜欢我，仍然接纳我。"教师可以这样与愤怒的学生开始谈话："我知道你现在很愤怒，因为你放学后要留下来。"

③指出情境。指出情境的前提是相信学生自己的判断力和自觉性，而不是事事包办或滥加指责。如："我看见地上全是纸屑，应该把它们扫干净。"

④邀请合作。用尊重学生的口吻提要求，如："让我们安静下来，排好队去看木偶剧。"

⑤简明扼要。如果没有特别的需要，不要动辄就对学生的行为进行"微言大义"式的分析，有学生在教室里扔纸屑，只需说："我们不应该乱扔纸屑。"因为乱扔纸屑的害处同学们都懂。

⑥贬抑暴力行为。这是和谐沟通理论的一条重要原则。教师应该经常向学生强调：我们碰到什么问题都应该动口不动手，打人、踢人、拉头发都是非常不好的行为。

⑦乐于助人。教师要让学生觉得自己是一位令人信赖、热情，有许多帮助别人的办法的人。请看常见的情形。

生：小明和小林一起欺负我。

师：你看起来确实很难过，我该怎样帮助你呢？

⑧给学生面子。即使教师必须给学生施以惩罚，也要给他们留有面子。例如，"你要么坐在座位上安静地写作业，要么只能一个人在教室后面站着。"

⑨灵活要求。教师要根据学生的实际情况提出要求，必要时可以降低或改变自己的想法。例如，

生：我不想做这些作业了，因为这题实在太难。

师：你觉得作业太难了吗？那么，我们一起来做几道题怎么样？

⑩让学生自定规则。教师需要给学生制定行为规则时，应让学生先自己讨论。例如，"请大家说出，当我们使用颜料时应注意哪几条规则？"

⑪注重解决问题的方法。教师不要过多描述学生的表现，着重让学生自己寻找解决问题的方法。例如，"我看到操场上有些学生有缺乏体育精神的表现，我们应该采取什么办法呢？"

⑫不随便与学生争论。教师不要因一点小事就与学生发生冲突。例如，一个学生不礼貌地打断了教师和其他同学的对话，教师应说："对不起，等我谈完话后会立刻跟你讨论。"

（2）教师的十大错误言行。

①不能控制情绪。心理学认为情绪失控是一种幼稚行为，实际上是人们倒退到了自己的童年时代。所以，教师对着学生大叫、丢课本、拍桌子、语言攻击等不但于事无补，还会大大损害教师本人的形象，恶化师生关系。

②恶言相向。例如，"简直像动物！给我弄干净！"这类语言据说还有一定的"流行性"，而最近有些教师常对不守纪律的学生叫一声："你缺钙啊！"

③侮辱人格。例如，"你一无是处，除了懒惰！"又例如，学生在座位上动来动去，教师斥责道："你抽风啊！"

④粗鲁。教师的语言应该是学生的楷模，而决不能带头说不文明礼貌的话。但有些教师就经常不注意这一点。例如，教师不分青红皂白地对插嘴的学生大叫："坐下，给我闭嘴！"

⑤过度反应，小题大做。因为学生的年龄特点，总有一些不可避免的小失误发生。教师应该妥善处理，不应该把它们作为随便伤害学生心灵的借口。例如，一个学生不小心把铅笔盒掉在地上，发出了响声。教师却大叫起来："我的天！你怎么连一点小事都做不好！"

⑥表现冷酷。教师只要对学生心存一点爱心，就绝对不会说出冷酷的话来。例如："你回家时走路小心一点，我发现你的脑子常出问题。"

⑦杀一儆百。这种威胁的话语不光影响师生之间的感情，也潜藏着教师本身自信的不足，甚至心理上的虚弱。例如，"因为小军今天上课不认真，我取消他明天的春游资格。你们大家是否想跟他一样！"

⑧恐吓。这种语言会使所有的学生都感受到教师的冷酷无情。例如，"如果我再听到任何声音，放学后给我全部留下！"

⑨唠唠叨叨。年轻的学生们一般都不会喜欢说话啰唆的教师，例如，一位教师就一件小事说了一大串话："我注意到有人把纸篓当球篮。真是太聪明了啊！我们都知道，投篮应该到篮球场上去投，不知道是谁异想天开，想要在教室里锻炼他的投篮命中率……"

⑩咄咄逼人。从教师的这类话语中听不到任何对学生的尊重和理解，所以也决不会有任何沟通效能。例如，"你在做什么！""你为什么这样做？""难道你不知道错了吗？""立刻道歉！"

和谐沟通理论主要从提高教师本身的素质着手，在尊重、理解学生的前提下追求师生之间和谐沟通的理想境界，同时也比较重视对教师具体沟通技巧的指导。所以，它是一种较为平实、不走极端的理论，似乎也更容易被我们的教师所接受。这种理论正好印证了毛泽东的一句话："学校的问题主要是教员的问题。"如果教师们把和谐沟通理论的许多做法融入自己的教学实践，将会得到学生行为改善的良好反馈，也会使他们更加乐于从事教师工作。也有一些教师发现，采用和谐沟通理论的沟通方法，对那些公然反抗、桀骜不驯的学生有时还是束手无策。任何理论都不是万能的，都有它一定的局限性。我们应该择其善者而从之。

三、行为塑造理论

1. 行为塑造理论的主要内容

一位教师谈起新行为主义理论时说："我学过教育心理学，这个理论最简单易懂。它强调的无非就是强化的作用——正强化就是奖赏，负强化就是惩罚。一般教师在课堂管理中都会熟练地使用这两手。"绝大多数的教师也许与这位教师一样，对新行为主义理论的认识还停留在表面上，原因之一是我国对此理论在课堂管理沟通方面的应用介绍不多。因此，这里对建立在新行为主义理论基础上的课堂行为塑造理论作一简单地介绍。

课堂管理沟通的行为塑造理论来源于斯金纳（B. F. Skinner）的新行为主义理论。斯金纳是当代最负盛名的心理学家之一，他的学术生涯大多在哈佛大学度过。著名的"斯金纳箱实验"为心理学界的经典实验，尤其是他的程序学习理论对现代教育技术的发展有着很大的影响。行为塑造理论实际上就是斯金纳的信奉者对其理论在课堂管理沟通领域中的应用。行为塑造理论的最主要观点是：

（1）行为由行为本身的结果所塑造，即由行为表现之后个体所发生的情况而定。

（2）行为之后如紧接着有强化物，则该行为会被强化。

（3）行为之后如紧接着没有强化物，则该行为会被减弱。

（4）行为之后如紧接着有处罚，则该行为也会被减弱。

（5）在学习的不同时段，连续性的强化和间歇性的强化会有不同的效果。

2. 行为塑造理论的操作原则

行为塑造理论又称教室中的行为改变技术系统，其主要操作原则有以下几条。

（1）制定周密计划。教师要想运用行为改变技术系统，必须事先花时间制订计划，计划的主要内容是：

①分析"前导事件"。由于教师的目的是想改变学生的某些不良行为，因此，教师首先要分析造成这些不良行为的各种原因，看看有没有可能改变这些行为。

②分析目标行为。具体描述教师希望学生表现出来的新行为。

③确定操作方法。关键是使用何种强化手段，并在何时使用以及怎样使用等。

④确定后果管理计划。如果学生出现了意料中或出乎意料的行为后果，应该怎样应对。

（2）使用各类强化物。行为塑造理论把教室里的强化物分为四种，可以根据不同的场合和对象选择使用。

①社会性强化物。口语类：哦！好！非常好！对！谢谢。再加把油！我喜欢这样。你做得很好，能不能和我们大家分享？等等。

体态语类：微微一笑，眨眨眼，点头，眼神接触。握握手，竖起拇指称赞，轻拍肩膀，接近，等等。

②符号性强化物。包括：数字（可代表学生在不同活动中取得的积分、积点、成绩等），不同颜色的圆、三角、方块标记，笑脸面具，各种图案的橡皮章，等等。

③活动性强化物。只要学生喜欢的活动，教师都可以用来做增强物。

例如，

针对低年级学生：当小老师，和教师坐得靠近些，玩玩具，选择唱一首歌，照顾宠物等。

针对中年级学生：玩游戏，自由阅读，布置教室，参加各种校外活动，额外的休息等。

针对高年级学生：可以选择和自己喜欢的人一起学习，参与一项重要工作，免除某些作业或考试等。

④实物性强化物。

文具类：笔记本，书籍，各类笔，信纸，书签，修正液等。

食物类：小水果，爆米花，花生，葡萄干，其他小食品等。

其他类：邮票，集邮卡，徽章，代币券，证书，奖状等。

（3）不同时段不同强化。

①连续性强化。行为塑造理论证明：在学习新的行为的开始阶段，要用连续性强化的原则。即在每一次的期望行为出现时，马上就给予奖赏。

②间歇性强化。当期望行为已经稳固而只需维持时，要使用间歇性强化的原则。即间隔一定时间后给予一次奖赏，而且奖赏的具体时间不

能让学生猜到，使他们知道奖赏虽然迟早会来，但必须随时保持这种良好行为才能得到奖赏。

（4）尽量少使用惩罚。行为塑造理论认为惩罚具有很多危险性，很容易让学生养成"强权即公理"的不良心态，所以教师要尽量多用奖赏，少用惩罚。教师即使有时必须要用惩罚，也应遵循以下原则：

①一定要让学生知道自己为什么错了。

②一定要让学生知道该怎样做才对。

③一定要让学生知道受罚是自己自主选择了不当行为的逻辑后果。

事实上，行为塑造理论主要是基于奖励的理论。以前有不少学者认为新行为主义理论比较强调惩罚的功能，这是一种误解。

3. 行为塑造理论的主要方法

（1）常规—忽视—奖赏法。这种方法的做法是：

①教师先和学生共同制定一套教室行为的规则。这套规则对学生来说必须非常明确而且容易理解，还可以把它贴在教室的后面，内容应简短扼要。

②一旦常规建立，教师就要开始注意有哪些学生是遵守规则的。发现有学生确实遵守了规则，就马上给予奖励。而且尽量要使每位学生都不止一次地得到奖励。

③对于学生的那些违规行为，教师一般不予注意。也就是说由于对违规学生做了有意的忽视，他们的行为就无法从教师那里得到强化。反过来，他们也会发现只有那些遵守规则的学生才会得到教师的重视和奖励，这样，他们的行为就会有所改变。

这种方法适用于低年级的学生，但不适用于中年级以上的学生。因为稍大一些的学生会嘲笑那些受到老师公开奖赏的学生，说他们是老师的"乖宝宝""跟屁虫"，使他们因担心不能和其他同学"合群"等而放弃自己的良好行为。

（2）常规—奖赏—处罚法。这种方法比较适用于高年级学生或者是有行为问题较多的班级。和上一种方法一样，此方法也是先和学生一起建立常规，而且也强调对学生的奖励。但它并不忽视学生不适当的行为，只是增加了一些对学生不当行为的限制以及后果控制的因素。所以，在规则建立时，学生就会对违规的后果知道得清清楚楚。教师在使用这种方法时，对遵守规则的学生照样用公开直接的方式进行奖赏。如果全班的表现都很好，就奖励全班。如果有人违反了规则，就由违规者承担全班事先共同规定的、这位同学自己选择的行为后果。

这种方法清楚地定下了期望、奖励和处罚的原则，对培养学生选择自己的行为结果、对自己的行为负责等良好习惯有很大的帮助。

（3）自我奖励法。行为塑造理论认为，学生也可以学会自己给自己的行为作强化。例如，一些教师用"图表法"来鼓励学生作自我管理，自己激励自己。

"图表法"的具体做法是：对低年级学生，教师把他们在学习上或行为上的表现和变化用图表绘制出来，让他们能形象地看出自己的每一点成绩和进步，从而刺激他们更加奋发向上。对高年级学生，可以让他们自己绘制自己各种表现的图表。他们可以通过这种方式进行自我奖赏。他们一般会经常注意自己的每一个微小变化，关心自己的进步速度，有时还会把显示自己成长的图表带给自己的父母看。

还有些教师用另一种方式：让学生建立自己对自己的奖励和惩罚方式，以对自己的行为负责。例如：认真按时地完成作业后，可以自由阅读，或提早下课等。如不能按时完成作业，则罚自己下课不出教室，三天不能看电视等。由于学生有可能滥用自我奖励这种方式，所以教师必须事先了解学生原有的成绩和行为状况，帮助学生制定好可行的标准，然后再由学生选择强化物。教师对学生应给予一定的指导。

（4）订立契约法。订立契约已被认为是一种较为成功的行为改变技术，对中、高年级的学生来说更为适用。契约中要明白地指出，学生要在多少时间内、行为改变到什么样的程度。如果达到目标，有什么样的奖励。如果达不到目标，将会有什么样的惩罚。学生和老师都同意了契约的条款后，双方在契约上签字。有时候父母也加入某一方并签上他们的名字。契约有时还应该留下副本，以备不时之用。例如：一个小学生和老师签下了这样的契约：如果她每天不忘记上课要带的全部东西，一个礼拜她可以积 5 分，积满 15 分后，她可以在老师收集的 20 支精美的圆珠笔中挑一支最喜欢的。但如果其中有一天她违约，积分就要从头开始。双方对契约的条款都表示满意。对高年级的学生来说，契约上可以多用一些法律式的术语，并盖上双方的印章。这种形式会使学生有郑重其事的感觉，因而有可能使他们更加认真地对待这份契约。

教师和学生订立契约后，一定要认真检查和对待。因为只要露出一点点开玩笑的意味，这份契约就再也没有约束力了。

许多人对建立在斯金纳的新行为主义理论基础上的课堂行为塑造理论并不熟悉。有人认为，这种理论是否有生命力，关键取决于它能否真正持久地改变人的行为。因为这种理论主要建立在分析人的外显行为上，而对人的内隐行为重视不够。但不管怎样，这种理论中的"合理的内核"还是值得为我所用的。

四、果断纪律理论

一位来自薄弱中学的教师埋怨："你们是不是站着说话不吃力，老是说我们教师的教育观念落后，好像多管教学生就是典型的'老顽固'，弄得我们连学生的纪律都不敢抓了。可你知道，我们面对的是一群什么样的学生吗？你叫我们怎么办呢？"

在大力提倡"素质教育""愉快教育"的今天，不要以为就不能抓学生的行为常规了，这是一种明显的误解。这里介绍一种果断纪律理论。果断纪律理论的代表人物是肯特（Lee. Canter）夫妇，他们经营一家以提供果断纪律训练而著名、并发行相应刊物的公司。他们曾经研究了许多优秀教师的经验，总结出一套课堂管理沟通的"果断纪律"的模式，并将它传授给了成千上万的教师和学校行政人员。果断纪律理论的基本观点是：

（1）教师必须坚持认为学生要有正当而且负责的行为，学生也应该和必须表现出这些行为，因为这是父母的要求和社会的期望。否则，教育就会为之瘫痪。

（2）强调课堂纪律并不是令人难受和不人道的。虽然教师和学生在课堂上各自都享有自己的权利，但这些和维持正常的课堂纪律并不矛盾。教师对课堂秩序稳定的维持和控制，才使每个人享有合乎人道的自由。

（3）在师生沟通过程中，教师必须经常进行果断纪律的常规训练。

在果断纪律理论中，最有价值的是有关课堂纪律常规训练的具体做法。下面择要做一些介绍。

1. 破除关于纪律常规的错误观念

果断纪律理论认为，由于当今社会尊重权威的观念逐渐减退，家长对子女行为的约束力越来越小，独生子女不断增加等原因，造成学生纪律不良情况的日益加重。但教师和学校管理人员对此问题存在着一些错误观念，也是一个重要原因。

（1）教师存在的主要错误观念。

①好教师自然应该有能力独自处理纪律问题，无需旁人协助。

②铁的纪律会造成学生心理上的压抑和创伤。

③当学校活动能够适合学生的需要时，就不会有纪律问题。

④学生有些根深蒂固的行为问题已超出教师能力所能解决的范围。

⑤多强调严格的纪律，会给人以教师能力太差或属于"传统派"的感觉。

果断纪律理论认为，正是由于这些错误观念，使教师不太愿意面对有问题行为的学生，等到教师不得不有所行动时，情况往往已经变得无法收拾了。

（2）教师应该树立的观念。

①纪律常规是维持一个高效率的学习环境的必要条件。但学生并不会自发形成所有的良好行为规范。

②通过纪律常规训练，可以避免一些令人后悔的事情发生。

③必要时，教师可以从学校管理人员和家长那里得到协助。这是教师的正当权利。所以，教师不应该担心自己孤军作战。

④有了良好的纪律常规后，教师才可能发挥自己最好的特质和能力。

2. 三种不同的教师

在处理学生的纪律问题时，肯特认为有三种不同类型的教师。

（1）优柔寡断型。优柔寡断型教师的特点：

①认为凡事应该对学生让步，或认为严格要求学生是不对的。

②对学生并没有建立一个明确的行为标准，或者即使有也缺乏有效的行动。

③没有能力管好学生，只希望自己的善良可以换取学生的顺从。

④常用"试试看"的态度要求学生去做自己的事，仅希望他们下次做得好一些。

由于这种教师既不果断也不坚持，到最后只能接受学生的现状。

（2）怒气冲天型。怒气冲天型教师的特点：

①容易被学生的问题行为所激怒。

②喜欢用嘲弄、威吓、大喊大叫等方式处理学生的问题。

③相信只有铁腕作风才能管得住学生，要不然就会被学生爬到头顶上去。

因此，这种教师往往不能提供给学生所需的温暖感和安全感，反而会激怒和伤害学生。

（3）果断反应型。果断反应型教师的特点：

①懂得维护师生双方的利益。

②清楚地表达他同意或不同意的行为，并且让学生知道应该怎样

去做。

③当学生遵守纪律时会得到正确的回报。当学生选择不当的行为时，马上告诉他们伴随而来的自然后果。

④语言明确，声音坚定，用眼神和手势等配合说话。

例如，两个男生在互相推推搡搡，闹得教师几乎没法上课。

优柔寡断型	怒气冲天型	果断反应型
我的天哪，这已经是第六次了，拜托你们停止好吗？	你们真是令人恶心！	不许打架！ 等你们冷静下来再说。

又例如，课堂上，一个学生多次不举手就随便说话。

优柔寡断型	怒气冲天型	果断反应型
你看，你又不举手就发言了。	我希望你说话礼貌一点。否则你走着瞧！	除非你举手才会叫你，否则不准说话。

3. 学会设置限定

（1）规定适当的行为。教师可以用各种方式让学生知道什么是不逾规矩的适当行为。

①提示。经常耳提面命，如："当别人说话时静静地听，不能插嘴。"

②我向——信息。告诉学生哪些行为影响了我，如："你们太吵了，我无法继续讲课。"

③要求。明令学生该做什么事。例如，"把作业从最后一排逐个传上来。"教师使用"要求"时必须谨慎，准备未就绪时，勿轻率提出。

④告示。在教室内张贴各种行为规范。

（2）明确说明后果。

①学生无违规行为怎样鼓励。

②学生有违规行为怎样处罚。

（3）体态语的配合。

①声音：应该是有效的、中性的、坚定的，不应是自说自话、刺耳、辱骂、恐吓的。

②眼神：坚定而直视学生。但注意不要强迫学生回视教师，尤其是东方民族。

③手势：如：轻轻地把手放在学生肩上，可传达无比真诚的信息。但切勿指着学生的鼻子说话。

④叫出学生的名字：此方法对有些学生特别有效。

（4）使用"破唱片法"。当学生"以身试法"时，往往从自己的角度顺势考虑问题，犹如留声机是依唱片的纹路往下运行。此时教师则要重复强调最初的信息。例如：

师：小军，教室里是不允许打架的。我不能容忍这件事。记住，下不为例。

生：这不是我的错，是小征先打我的。

师：我知道可能是这样，只是我没看到。问题是你们不应该在教室里面打架。

生：是他先动手打我的。

师：可能是这样，我会留意。但是你还是不能在教室里打架。

在使用"破唱片法"时要注意：

①仅仅在学生持续做出不适当反应，或拒绝对他的行为负责时才使用。

②反复地以"那不是主要的……但……""我了解，但……"类型的句子开头。

③每次使用最多三次。如果有必要，在第三次之后施予学生适当的惩罚。

4. 建立一套积极、果断的行为结果的处理程序

（1）基本原则。对学生行为后果的处理程序首先必须遵守下列原则。

①相互约定、但不恐吓。

②预先选择适当的结果。

③恩威并施，奖惩互用。

（2）对教室内持续的不良行为的处理程序。教师自己可设计一套切实可行的处理程序，但可以根据不同的时段和活动适当更换程序。例如，国外的学校对学生的不良行为指定下列处理程序。

不良行为	行为后果
第一次	姓名写在黑板上，给予警告
第二次	姓名前打钩（停课 10 分钟）
第三次	姓名前第二次打钩（停课 15 分钟）
第四次	姓名前第三次打钩（电告家长）
第五次	姓名前第四次打钩（面见校长）

又例如，使用纪律卡——让问题学生佩带一张纪律卡，每个任课老师都在上面做记录。由一天中最后一位老师决定如何处理。

（3）对较为严重违规行为的处理程序。

①果断约见。必要时，应有其他老师或学校管理人员在场。

②加重处罚。如约见无效，学生依然故我，甚至反唇相讥，要执法如山，加重处罚等级。

③行为契约。如悔过书、保证书等。

④通知家长。

⑤邀请家长来校听取任课教师和学生的意见。

⑥在校隔离。让学生在单独的教室或办公室做功课。但注意用餐、上洗手间时需他人监护。

⑦常规小组。由三到四位教师和管理人员组成专门的小组，随时支援教师处理这位失控的学生。

⑧学校给予行政处分。

（4）对积极行为的褒奖程序。

①教师的注意。教师的微笑，友善的眼神，称赞和表扬等。

②积极地向家长反映。哪怕一次简短的电话，也会使学生和家长兴奋万分。

③特别的奖赏。特别的加分，颁发奖状等。

④特别的权力。帮教师批改作业，担任升旗手或护旗手，提前下课，优先推荐进球队等。

⑤物质的奖赏。低年级学生：贴纸，小食品，宾果卡等。中高年级学生：圆珠笔，笔记本，照相册，奖学金等。

⑥家庭的奖赏。与家长合作，让表现好的学生的"特权"扩大到家里。例如，完成家庭作业后增加看电视的时间，读额外的书后能吃一顿喜欢的快餐等。

⑦对团体的奖励。当全班都有良好表现时，取消一次自修课，组织一次郊游等。

果断纪律理论虽然看起来不是非常"新潮"，但得到了许多教师热心的拥护，据说在国外的普及率颇高。教师觉得它的效用在预防性控制、支持性控制和矫正性控制这三方面都有所体现。对于很多正为学生的纪律常规问题所困扰的普通教师来说，这种理论很容易对上他们的"胃口"。果断纪律理论是课堂管理沟通理论中争论最多的一种理论。教育专家对它的批评是，太失之强硬和严峻，太强调惩戒，不重视内在动机的作用等。

练习：

1. 请试用不同的纪律管理理论设计应对方案。

小谭进入教室后，离开座位去削铅笔，故意撞了阿美一下。阿美不高兴的小声嘀咕。小谭高声要她闭嘴。王老师说："小谭，回去坐好。"
小谭走来走去，怒气冲天地说："我想回去的时候自然会回去！"

　　如果你是王老师，该如何处置？

　　2. 依据你对课堂纪律管理理论的理解，并根据你自己的特质建立你个人的课堂纪律管理风格。

9

课堂外的师生沟通艺术

"小家伙，你的画的确画得棒极了！教师节时，你送给教师的'礼物'，我至今还挂在书桌前，每当看到它就似乎看到了你天真的大眼睛。每天中午，我总是默默地观察你分饭时那不太熟练的动作，那认真的表情和那穿梭于食堂与班级的忙碌的身影，你总是最后一个才吃完饭。一个学期过去了，孩子你辛苦了！老师多希望你在学习上也能像画画一样专心，成绩也像画画一样出色，对待学习也像分饭一样认真，那你远在美国的父母和养育你多年的祖父母将多高兴呀！"

这是一位小学四年级的教师给她所在班上一位学生写的评语。字里行间蕴涵着教师对学生的浓浓爱心，字字句句渗透着教师的心血。评语没有一丝的说教，完全是以平等谈心的方式成文的，读来亲切感人。

这种谈心式的评语能使师生关系变得缓和，使感情也许对立的师生变成相互了解的知己，使学生在愉悦的气氛中接受教育，在宽松和谐的情境中领悟道理，激起其上进心。

在美国，一位成年人因公务牺牲，人们在他的贴身口袋里找到了一张纸条，那是他小时候班主任海伦写给他的评语。葬礼上，昔日的学生告诉他们的老师："你给我的评语一直压在我的写字台上""你写的评语放在我的结婚相册里"。显然，教师用心写的评语感动了学生，并在他们的人生道路上发挥着巨大而又恒久的作用。

古人云"人之相交，贵在交心"。在师生沟通的各种形式中，也许像写评语等书面沟通形式是一种最适合、最有效的师生"交心"的形式。这是因为师生书面沟通除了要花费教师较多的时间外，有许多其他沟通形式所没有的优点：

（1）因为教师在深思熟虑后落笔成文，避免了平时即兴反应可能带来的疏漏或不足。

（2）在师生当面沟通时由于种种原因不便、不善或不能表达的话语在书面中可以表达得淋漓尽致。

（3）由于书面语言的优点，可以言简意赅地对学生做出入木三分的恰当评价，并明确指出努力的方向；也可以大气磅礴地对学生进行激励，激起他们的深思和热情；更可以在字里行间流露你对学生的真情，让师生感情进一步升华。

这里以教师最常见的为学生写期末评语为例，谈谈怎样做好师生间的书面沟通。

第一节　怎样做好师生书面沟通

一、评语的三种境界

1. 无效的评语

该生热爱祖国，关心集体，团结同学，热爱劳动，乐于助人，课下认真完成作业，成绩优良。望今后积极参加体育锻炼，提高身体素质。

你的政治思想表现和社会主义觉悟提高了一大步，学习尚好。希望今后继续努力，争取做一个三好学生。

这样的评语不知写了多少年，多少代。学生对这样的评语似乎已经麻木了，家长们也不屑一看。这不能怪家长和学生，因为这样的评语不具体，不明确，放在任何人身上都合适，可以说没有任何沟通的效果，没有任何阅读的价值，所以，教师应该杜绝这样的评语。

2. 基本合格的评语

上课时能专心听课，积极提出不明白的问题。尊敬师长，团结同学，劳动积极肯干。今后要尽量少请假，做作业要书写工整，还要注意爱护书本。

这样的评语基本上做到了言简意赅，明确具体，容易为学生理解。一些研究证明，学生读了这样的评语后，一般能知道自己的优缺点以及今后努力的方向，所以教师的目的基本能够达到。教师写评语至少应该达到这种境界。

3. 优秀的评语

我们看看本章开头部分的几段优秀评语，它们除了言简意赅，明确具体，容易被学生理解等特点外，还应该同时具有有的放矢、言辞恳切、感情真挚、文笔优美等各种特点，名符其实地成为教师与学生进行无声交流、指导学生思想的一种有效途径。所以，优秀的评语看起来不仅评如其人，而且还评中寄情，评中显美。教师应该尽量把给每一个学生写的评语都达到这样的境界。

二、细心捕捉闪光点

教师平时要注意观察学生的表现，因为细心观察是写好评语的前提。开头那篇不足二百字的短文，就是在仔细观察、深入了解学生的基础上写成的。文中以"画画"和"分饭"两件事为中心，把学生的特点描绘得生动、具体、准确。

教师平时就要深入到学生中，与学生交心，了解学生的特长与爱好，尤其要善于发现学生身上的"闪光点"，并以此来作为鼓励他们的"素材"。有位学生，各方面表现一般，没有突出的优点，也没有扎眼的缺点。但细心的班主任发现，这位同学总是第一个到校，因此老师为他写了这样的评语："你是一个珍惜时间的好学生，老师总是看到你第一个到校，老师为你的举动感到高兴。我相信你在其他方面也会勇争第一！"

三、一个孩子是一本书

教师要以"一个孩子是一本书"的认识，善于发现每个学生的个性，抓准特点，有的放矢，给予他们恰如其分的评价，"见评语如见其人"。例如，一位喜欢标新立异的男孩，在接受批评时常有不服的倔态，还会用近乎狡辩的话反驳。于是这位教师在评语中写道：

你是个聪颖、善良的男孩，完成作业快速干净，而且准确率高。你的力气好大，常常抢重活、累活干，显示出你小小男子汉的力量。但当你有小小的错误时，老师一次次深入浅出地给你讲道理，你常会以并不足以说服人的理由为自己辩解。其实，我觉得勇于承认错误才是正确对待自尊的方法。请你不要在纪律上表现出与众不同，而应努力在课堂上表现出与众不同，这才是老师最为欣赏的。

在此，教师充分肯定了该生的优点，并用婉转的语气提出要求，使学生乐意接受。而且用了两种"与众不同"帮助学生分清是非，表明教师的态度，从而让学生自己慢慢地去纠正自己的不良行为。当家长看到这则评语时，也仿佛在读自己孩子"这本书"，结果情不自禁地说："到底还是老师了解孩子，一下子就说到点子上了。"

四、诚恳委婉道不足

在评语中经常要指出学生的缺点和错误，这本无可厚非。但要忌讽刺挖苦、言辞偏激。教师要做到言辞恳切，尊重为上，诚恳为上。特别注意要艺术地指出学生的不足，委婉地提出批评，语言要亲切，使学生在期望中产生前进的动力。

例如，一位教师对班上一名贪玩、作业拖拉、学习成绩差的学生写了这样的评语："你是一个活泼聪明的孩子，你学习欠佳是由于你的自由活动占据了大多数课余时间。老师希望你珍惜时间，你可知道，那次你按时交作业，老师是多么高兴呀！"

这样委婉地指出缺点，保护了学生自尊心，使学生更乐于接受教师的真诚建议。

五、字里行间见真情

一位教育家曾说："教育不能没有感情，没有爱。如同池塘之没有水一样，没有水，就不能称其为池塘；没有感情，没有爱，也就没有教育。"评语是师生情感交流的一种方式。教师应饱含发自肺腑的真挚感情，以温和的笔触使学生感受到教师深情的期望、亲切的鼓励，以心灵深处的碰撞激起爱的火花。教师需改变以往居高临下的态度，注意评语的亲切感。

评语开头可以写成"你……""你是一个……"，或写成"我认为你是一个……"，给家长的信可以写"您的孩子是一个……"等句式。这样的句式无论是学生还是学生家长，读起来都会感到亲切。由于感到亲切，学生会更乐意接受教师在评语中提出的意见，家长也能够心平气和地参与到对孩子的教育过程中。评语还应尽可能反复斟酌，做到词恳意深，文笔优美，唤起学生的愉悦和热情，表明激励和期待。例如，有一个家境不好而成绩优异的男孩，有"事不关己，高高挂起"的思想，于是教师在这位学生的评语中写到："艰苦朴素是你的美德，你在物质上没有攀比心理，在学业上却不甘示弱。你能写一篇篇行文流畅的习作，能在考卷上亮出优异的成绩。但老师还想提个小小的要求：你要做班集体的小主人，老师的小助手。你一定乐意去做的，老师相信你！"

教师这些情真意切的话语，如柔柔的春风，似融融的阳光，吹拂、温暖着学生的心田，深入到每位学生的心灵深处，与学生产生强烈的共鸣，从而对学生的进步起到"催化剂"的作用。苏联教育家马卡连柯曾说过："培养人，就是培养他对前途的希望。"与学生的书面沟通也要重在激励，让学生看到成长途中的点点星光。

六、优秀评语选萃

1. 给一位后进而又倔强的男孩的评语

你是一个有个性的男孩，坚韧、倔强是你的最大优点。坚持就是胜利！老师希望你充分发扬自己的优点，奋起直追，赶上或超过别人！

2. 给一个沉默寡言、成绩不理想的女孩的评语

文静、懂事的女孩，虽然你不爱叽叽喳喳，但老师从来没有忽视过你。老师常常看到你在默默无闻地帮助同学做值日，一次次悄悄地为老

师整理粉笔盒，或只是静静地聆听别人的诉说。这时，老师的心里就漾起一份宁静的喜悦。这次学校的手工比赛，你捧回了一个奖杯，全班同学都为你喝彩！老师殷切地希望你能在课堂上也表现得如此精彩。大胆些，再给老师一份惊喜，好吗？

3. 给一个活泼大胆却粗心的女孩的评语

最欣赏你的是上课时总是把手举得高高，即使答错了，你还会把手举在老师的目光下。最爱看的是舞台上你那活泼、俏丽的身影，一举手一投足韵味天成。现在，老师最想提醒你的是做作业时不要急于下笔，记住"三思而后行"，你的出错率一定会大大降低，你的作业本一定会有新的"容貌"。老师期待着！

4. 给一位工作认真但不善于组织的班级劳动委员的评语

每天第一个到教室的是你。我常见你在为同学忙碌：安排买饭、早饭后组织20分钟劳动、打扫卫生。你默默无闻，任劳任怨，以自己的模范行动为同学们树立了榜样。老师要说：谢谢你——我们的劳动委员！可我感到，你实在是太辛苦了！能否发动更多的同学一起干呢？能不能在班级里"克隆"出更多的像你一样的好孩子呢？我想你一定做得到！

以上这些期末评语并不包括师生书面沟通的全部。在教育实践中，还必须注意平时与学生进行各种书面沟通。例如，国外教育心理学家曾经尝试在批改作业时与学生进行简短的沟通。他们让教师在改完学生作业后，把学生按成绩分成几类，每次都从每类学生中挑选几名，轮流在他们的作业本上写几句基本"程式化"、略有不同的评语。

对成绩拔尖的学生：

老师非常欣赏你对这门学科的热爱，希望你不但成为班级里的佼佼者，还要成为年级、甚至区里、市里的尖子。

对成绩中等的学生：

让我们一起努力，下一次争取把这个成绩再上一个等级。相信你也一定有信心！

对成绩较差的学生：

看到这个分数，我很想知道，是不是老师教得还不够好？你想老师怎样来帮助你？因为你的进步才能换来老师真正的快乐！

实施这种办法一段时间后，发觉有很不错的效果。相比之下，我们的一些教师在学生的部分作业、周记、家长签名本上，往往只留下一个或龙飞凤舞或马马虎虎的"阅"字，失去了和学生、家长互相沟通、反馈信息的大好机会，实在是令人惋惜！

教师在拿起笔与学生交流时，应掂一掂它的"分量"，让你的深情厚谊徜徉其间，流出滋润的雨露，扶植起这一棵棵小树，让他们茁壮成长！

第二节　怎样与家长有效沟通

有经验的教师一看到学生的父母，就会对他们子女的状况猜个八九不离十。因为家长是孩子的第一任教师，每一个学生身上都明显地留有家长影响的"烙印"。

教育的影响力是一股由教师、家长、社会形成的"合力"，光靠教师"剃头挑子一头热"是绝对不够的，有时通过与家长和学生进行间接沟通，常有"围魏救赵"法的奇效。但前提是教师首先必须和家长有良好的沟通。教师跟家长沟通与跟学生沟通有许多不同的地方。这里，根据国外的一些做法和我国教师在这方面经常陷入的误区，介绍几种与家长沟通的实用方法和技巧。

一、怎样做好约见前的准备

1. 先与学生做简短交谈

其目的是，让学生了解约见家长的目的，安抚学生的情绪。找出家长中最关键的一位。

一般说来，如果教师没有指明，最常出现的家长会是母亲。然而，有时母亲并非是家庭中举足轻重的人物，而她又未必敢把事情转告给有影响力的父亲，于是学生的情况可能还会继续恶化。有些单亲家庭，学生的监护人是父亲，但实际上他经常不在家，学生的日常起居由祖父母负责。

学生家长可能不止一位，但必须见到最关键的那一位，学生的问题才会得到解决。必要时坚持要双亲都到校，是一个好办法。这时，要注意给双方以同等的关注和尊重。有些家长在另一位家长面前噤若寒蝉，教师要协助他（她）发表自己的意见。这也许是另一位家长第一次认真地听他（她）的分析呢。两人合力教育子女，总比单人独挑要好。

2. 电话成功邀约

（1）用坚持对付推脱。当家长在电话中敏锐地感到这次约见会讨论自己孩子的不良表现时，常常会有诸多推脱："最近我很忙，没有时间。我们在电话里谈，还不是一样吗？"

这时，教师可以这样说："如果你的工作实在忙，无法到学校里来，不如我到你办公室来吧，因为这件事必须和你当面谈。"

家长听了，也许连忙会说："那太不好意思了，我后天下午有一点时间，还是我赶过来吧。"

（2）说明见面的重要性。总的原则是要让家长了解到见面是为了他们的孩子好，但有时也要注意约见的时机和表达的内容。

试比较：

小强昨天拿了同学的钱包，我们决定给他记大过，请你到学校谈谈。

小强昨天拿了同学的钱包，我们现在正在研究如何处理，因此请你到学校一谈。

哪种表达方式会让家长更愿意来学校，是不言自明的。

二、怎样说好开场白

现在，许多家长和教师都感到时间不够用，所以见面时也许会单刀直入，直截了当地谈论学生的问题。这样做有时有点冒险，尤其对那些不够熟悉的家长，要是先做一些简单的交流，双方就不会感到太突兀。由于时间的关系，教师不宜做无谓的客套。但有两个方面的话教师肯定可以说，而且效果一般不会太差。

1. 表达对家长的欣赏

对素未见面的家长，称赞他是否会弄巧成拙，有言不由衷的感觉？然而，这样说一定不会错："很高兴你能抽空到学校来。""我感到你对孩子非常关心。""我发现你是个很负责任的家长。"

2. 表达对家长本人的关心

家长也有自己的职业、生活和需要，教师要尝试着把他们当朋友来看待。

"小军爸爸，我听说你是负责公司销售的，经常出差在外，但每次开家长会你基本上都来，真不容易啊！"

"小倩妈妈，最近单位效益好吗？你一个人要养育一对双胞胎，肯定很辛苦，有什么需要我帮忙的吗？"

"小群妈妈，听说前一阵子你身体不舒服，现在好些了吗？"

这样开始交流的好处是：不但融洽了关系，缓和了气氛，而且会使那些本来准备受到教师的责难而抱有防卫心理的家长放下心来。当然，这样的"寒暄"也不能太多，否则家长会怀疑你的话语背后另有目的。

三、怎样与"挫败型"家长沟通

这类家长非常常见。因为教育孩子屡遭失败，当听到教师叙述孩子最近的另一个错误时，他们不会再有奋发感。他们已经习惯了这种模式，只求在听完了教师的教训，答应了教师的要求后，可以尽快离开这伤心之地。面对这种心灰意冷的家长，教师如果觉得他们也是冥顽不灵，无药可救，那孩子真的是没救了。这里，我们以和这类家长沟通为例，说明与家长沟通的一般方法和技巧。当然，在和其他类型的家长沟通时，还必须根据他们的特殊性给予特殊的对待。

1. 找出家长积极善良的一面

"王先生，我很欣赏你的耐心和毅力。虽然小骏犯了几次错误，这次已经是这学期第五次请你到学校来，但你每次都是尽快赶来，从不灰心。小骏有这样的爸爸，真是幸运。"

听完第一句话时，家长可能会有些惊愕，但相信教师接着说的每一个字都会使他更乐意地去听。

2. 不在责任上兜圈

教师一般都认为，只要找出学生行为的原因，一切问题就会迎刃而解。所以，他们经常会问此类问题："小明这次偷了同学的钱包，你们作为家长，真要好好想一想到底是什么原因？""会不会你们家里的钱包也是随便乱放，他习惯了不问自取？"

这种自以为是好意的问题，会引起种种不良反应。首先，家长会感到有压力。因为这些问题等于是说："我们到底是哪里做错了？""孩子还有前科吗？""问题的原因主要是在家庭吗？"

然后，由于感到自己的安全受到威胁，家长的自然反应可能是："会不会有人栽赃嫁祸？""小明的同学里有没有行为不端的人在唆使？""教师大概也没有教育好学生要妥善保管好自己的财物吧？"

如果这样继续下去，会造成双方互相指摘谁的责任大，敌意逐步增加。所以，教师应该做如下处理。

（1）多问开放性问题。例如，"你认为小明为什么会这样做？""小明对金钱的观念一向是怎样的？"

这些中性的问题可以引导家长去回想问题的成因，并由他们自己说出来，避免了漫无边际的猜忌，也避免互相指摘的反面效果。

（2）容忍家长说的某些"不知道"。关于学生问题的成因，有时家长会说"我们也不知道"。不管他们是真的不知道还是不愿透露真相，继续追问都不适宜。即使你迫使家长承认自己管教不严，也只是徒增敌意，对问题的解决没有任何帮助。

（3）不要推卸责任。遇到家长把责任归咎于学校时，教师应大度地说："请你们放心，我们对学校发生的每件事都会负责追查到底，决不会冤枉一个好人。也会经常和学生讨论各种是非问题。但只有在家长的配合下，对你们孩子的教育才能取得良好的效果。"

3. 增强家长的信心

（1）寻找孩子身上的闪光点。试看下列对话。

家长：小明从来不会自觉地去做功课，只会自觉地看电视。

教师：你怎样处理？

家长：一般我先劝他，如不听就大声骂他。

教师：效果怎么样？

家长：我很生气，他也很生气，结果就胡乱地把功课做完了。

教师：有没有试过其他方法？

家长：摇摇头。

教师：你这样关心孩子，也很看重孩子的学业，一定尝试过用不同的方法去帮助他。

家长沉思良久：啊，想起来了！有一次，我在家加班，他看我非常认真地在工作，不知怎的，也关了电视，自己开始做功课了。

教师：是啊，这说明在这孩子身上确实还有懂事的一面啊！我们只要把这种例外变成他的习惯就行了。

（2）描绘成功的情景。试看如下对话。

教师：你希望小明变成什么样？

家长常回答：他变不了了！我对他已经失去了信心。

教师：假如有奇迹出现，小明的问题解决了，你将会见到一个怎样的小明？

家长：怎么会有奇迹！我无法想象这样的假设。

家长继续诉说他的失望。

教师：如果在我们双方的努力下，一个月后小明开始转变，你想他会是怎样的。

家长：我想，他会自觉自动地做功课，会知道父母的钱来之不易，会……

于是，成功的情境开始有了轮廓。

（3）给家长打气。

教师：今天我们见面，是两位专家的难得聚首：一位对青少年的特点有深切的了解，一位具备对孩子从出生到目前的全部认识。我们双剑合璧，还不是天下无敌！小明一定会健康成长的。

4. 与家长进一步做建设性沟通

教师：虽然你们想不出是什么原因导致小明会这样，但我们从小明口中知道他是打算拿这笔钱去买一个模型。他向你们提出过这样的要求吗？当时你们的回答是怎样的？从这个角度切入谈下去，教师就可以和家长深入探讨有关家长对孩子零用钱的安排，学生储蓄的习惯，亲子沟通的策略等问题。

四、怎样与"投诉型"家长沟通

对不少教师来说，最喜欢的家长可能是那些子女表现平平庸庸，与教师互不相干、老死不相往来的家长，真是"家长无才便是德"。令教师最感烦恼的家长，可能是那些有点见识，事无大小都喜欢找教师评理的家长。教师心里会这样想：班级里有四十多名学生，如果家长们都动辄投诉，我怎样应付这几十位家长呢，我连课都没时间上啦。其实，教师大可不必这样想，任何事物都有它的两面性。

（1）教师首先应该看到，对教师处理学生的手法、教学方式，或对校规有意见的家长，都是些有进取心且坦率的家长。也许他们看问题不够全面，说话过于率直，但我们要有开放的胸襟与勇气去容纳不同意见，并把它们化为建设性行为的动力。

（2）如果教师对这些家长非常尊重，并能积极聆听他们的想法，他们必定会以同样的尊重和聆听来回报教师，必定会欢迎同样真诚、坦率的回答和解释。教师忙是众所周知的事实，所以，在互相尊重的气氛中，当你清楚地说出限制："对不起，我只可以和您谈十分钟"时，大多数家长都会体谅和遵守。

（3）正是由于这些积极敢言的家长的存在，教师多了很多"耳目"。试想，你是否需要几位天天生活在学校所在的社区，对各种大事小事了如指掌，又愿意劳心费神到校或致电，义不容辞地向你报告情况的"义务侦探"呢？当你能及时了解到昨天是哪几个男生在游戏机房玩到了半夜，哪一个学生的父母又大吵了一通要离婚等信息时，你还会很感谢这些家长，并可以利用这些信息去帮助学生健康成长。

相反，那些"家长无才便是德"类型的家长，也许倒是教师需要经常沟通的对象。这些家长的子女虽然看起来默默无闻，但"风起于青萍之末"，善于防微杜渐才是一位优秀教师的真正成功之道。

五、怎样和"问题型"家长沟通

由于各种原因，在一些薄弱学校里，教师经常会碰上一些本身有这样或那样问题的家长。他们不务正业，整天或沉溺于方城大战，或徜徉于歌厅酒吧，烟酒过度，出言粗鲁，甚至还有失足记录。我们暂且把他们称为"问题型"家长。和此类家长沟通时，教师应特别注意如下几点。

1. 坚信"虎毒不食子"

这类家长虽然自身有问题，但他们中的绝大多数不会希望自己的孩子重蹈覆辙。因此，当他们的孩子犯仗势欺人等常见错误时，只要教师不惧家长，在尊重家长的前提下以理服人，这类家长有时反而更像是"深明大义"的一群人，会积极地配合教师解决问题。

需要注意的是，他们有时会在校外替自己的子女把事情摆平，虽然他们知道这样做是非法的。

2. 坚持"一人做事一人当"原则

此类家长经常会有畸形的自尊感和自卑感的混合表现，甚至还可能传染给他们的子女。教师应该经常暗示这类家长：理性地认识自己，孩子是无辜的。只有勇敢地看到自己的不足，协助孩子放掉家庭的包袱，让他们自强不息，才能使孩子有一个美好的未来。

3. 从改变家长的习惯做起

只要教师坚持尊重家长和体谅他们的现实困难，就不难使他们做出一些具体的承诺，而这些正是此类家庭子女进步的起点。这时，教师的要求要从点滴着手，如：

在孩子面前不说粗话；

不在家里抽烟，即使受不了，也到卫生间或阳台去吸烟；

把一些孩子不适宜看的刊物、录像带、光盘收藏好，等等。

良知未泯的家长总是多数，所以身处薄弱学校，经常和"问题型"家长打交道的教师时间一长就会体会到，其实和他们沟通并没有想象中那么困难，而且还会学到一些书本中学不到的本事。

六、怎样创造与家长和谐沟通的机会

1. 阳光电话

留意学生的各种正面行为，使教师和家长通话时不是永远"报忧不报喜。"

2. 知心信息

除了在学生手册上写期中和期末评语外，如果有必要，可以在家长须签名的家校联系册、重要作业和试卷上写上几句和家长沟通的话语，内容当然也不是永远"报忧不报喜"，使家长感到并不是一定要等到某个特定的日子才可能看到班主任教师的"珍贵手迹"。如果不担任班主任的任课教师有时也能这样做，家长会感谢学校和教师对自己孩子的关心和帮助，这样，对孩子的成长就更为有利。

3. 新奇开学夜

曾有学校把9月1日的开学典礼放到晚上进行，并邀请家长参加，班主任及各科教师都与家长做直接沟通，相互承诺未来一学年的合作。热烈的气氛再加上精彩的演出，使教师、家长、学生产生了融为一体的归属感。

4. 家长学校

邀请教育专家等到家长学校讲课，课后教师、家长共同探讨教子经，效果一定不错。

5. 家长联谊会和家长小报

上海宝山区一所学校组织家长联谊会，请家长中热情而又有社会活动能力的人担任会长。还让家长联谊会与校方共办《合力教育报》，通报学校的教学教育状况，交流教子心得等，并定期发行，深受家长欢迎。

6. 春游、秋游、营火晚会等活动邀请家长参与

这样做既创造了教师与家庭、家庭与家庭、家庭内部的互动和沟通机会，又让家长分担了学生的安全问题，还满足了孩子的亲情及游览需要，真所谓一举数得。

练习：

1. 在教研组内互相交流优秀的学生评语。

2. 依据你对这两种课堂纪律管理理论的理解，制订一个与家长沟通的详细计划。

10

学生挫折的化解和心理疏导

是否还记得 1992 年在内蒙古草原举行的中日少年探险夏令营？在这次活动中，中国孩子表现出了软弱、怕吃苦、依赖性强等许多弱点。以至日本人竟敢这样说："你们的这一代孩子不是我们孩子的对手。"新闻媒介发布了上述消息后，引起了许多人、特别是教育界人士的震惊和忧虑。一时，怎样对青少年进行挫折教育成了国内讨论的热门话题。

事隔多年，中国青少年学生的心理状况是否有所改观呢？事实恐怕并非如此。在互联网上我们可以看到，由于青少年学生的脆弱，导致了他们形形色色的心理和行为偏差，甚至自杀现象也屡见不鲜。要重视青少年学生心理健康教育的呼声越来越高。所以，最近教育部已经出台了有关中小学心理辅导教师和学生人数比例的规定。

不管日本人的预言正确与否，我们应当现实地承认：和我们的前辈相比，这一代青少年由于比较缺少相应的精神和环境支撑，他们对各类挫折"抗击打"的心理能力确实比较弱。疏导、化解学生的挫折，激励他们战胜挫折走向成功，应该成为师生沟通中最为重要的内容。

作为教师应该认识到的是，青少年学生的心理健康教育光靠一两个心理辅导教师是远远不够的。在师生沟通中，辅导、激励学生，塑造他们的积极心态，给他们以"心灵鸡汤"式的心理滋润，应该是每一位教师的重要社会责任，也是沟通艺术的最高境界。

第一节　造成学生受挫的各种因素

有人说，今天这一代青少年是心灵"容易受伤的一代"。根据我们对构成当今青少年挫折的各种因素的分析，这种说法有一定的道理。

一般来说，造成学生受挫的因素可以分为环境因素和个人因素两大方面，每一方面还可以进一步作深入的分析。

一、环境因素

1. 社会的急剧变化

阿尔温·托夫勒在《第三次浪潮》一书中把技术革命比喻为一把"双刃剑"。同样，我们也可以把改革开放对人的心理影响比喻为一把"双刃剑"。伴随着个人发展空间的扩大、机会和诱惑的增加，社会对人各方面的要求也相应提高，人与人之间的竞争日趋白热化。而人才的竞争就是教育的竞争，教育的规模在不断扩大，大多数青少年从小就面临着这样的社会舆论压力：如果不能成为最好，人生就没希望。

2. 家庭的过高期望

由于现在学生的长辈多多少少都受到过"文革"的伤害和影响，因此他们往往把自己未能实现的希望全寄托在了下一代人身上。再加上绝大多数家庭都是独生子女，不可能产生过去多子女家庭"东边不亮西边亮"的奢望。家长望子成龙、望女成凤的愿望十分强烈。但是，更高的期望容易造成更多的失望。在这种家庭环境中，孩子最重要的是一天到晚考虑怎样"不负众望"，他们的压力可想而知。

3. 教育的滞后

教育的改革是一项系统工程，不可能一蹴而就。更何况教育本身具有相对独立性和滞后性。因此，传统教育中只重视分数、不重视学生心理健康等弊端还会在相当长时间里继续存在，学生也一定会在学校里继续承受各种压力，遭遇挫折。

二、个人因素

1. 个人的生理状况、外表形象

这些因素虽属客观，个人几乎无法改变。但对人的心理会有一定的影响，关键是要看本人对这些因素怎样认知。例如，身体强健的人一般对挫折的承受力较强，而"林黛玉"式体质的人遇到不顺心的事往往更容易朝悲观处想。又如日本心理学家依田新指出的：长得美丽的女子在她们的黄金时代往往会有"等待幸福"式的典型想法，长此以往，会造成她们依赖性太大，一遇风浪就会倍加沮丧。相反，外表形象长的差一些的学生会有一定的自卑感，在一个崇尚"追星"的社会中，甚至以后在升学、就业等方面都受到明的或暗的歧视，造成心理创伤。

2. 个人的心理特点

学生不同的能力水平、气质性格类型等会造成他们对各种逆境产生不同反应。例如，心理学家就发现，气质类型为胆汁质和抑郁质的人更容易诱发心理疾病。

3. 个人的经历和抱负

从逆境中长大的人面对挫折会有较强的抗击能力，而现在这一代"糖水里泡大的"孩子没有这方面的优势。如果个人的抱负不切实际，也会造成较多的挫折感。所以有人这样给情绪指数下定义：情绪指数＝期待实现值/内心期待值×100％。当一个人的内心期待值太高时，受挫就是家常便饭。青少年由于缺乏社会经验，往往对自己抱有不切实际的较高的期望，而一遇阻碍，又会跌到失望情绪的底端，形成受挫心理。

由于上述各种因素，现在的青少年一般"一生总有几回挫"。教师和家长必须懂得如何化解和疏导他们的挫折。

第二节　形形色色的受挫反应

一、受挫反应说明图

化解和疏导学生的挫折，首先要分析他们的挫折反应。心理学家把人受挫后形形色色的反应绘制成一张图，我们可以从这张图中分析一般人或青少年学生受挫折后的各种主要反应，然后再寻找化解和疏导的方法。

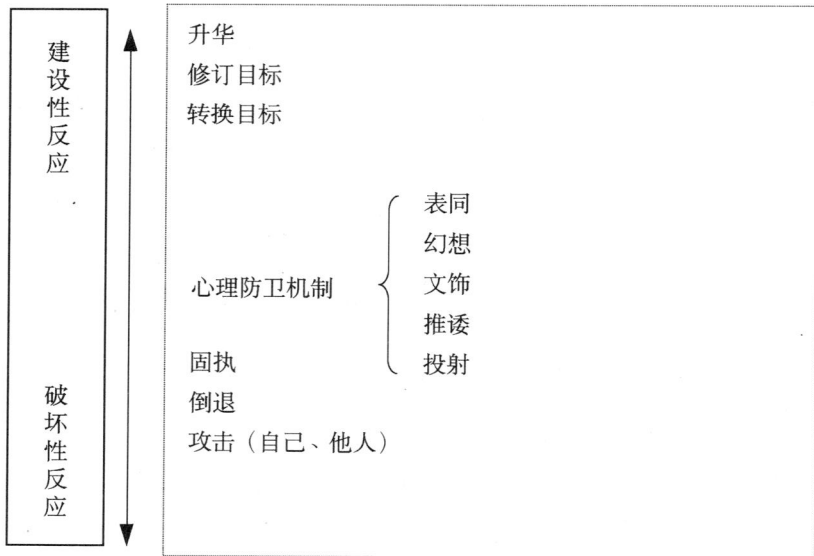

升华
修订目标
转换目标

心理防卫机制 { 表同
幻想
文饰
推诿
投射 }

固执
倒退
攻击（自己、他人）

建设性反应
破坏性反应

受挫反应说明图

二、对各种受挫反应的心理分析

从上面的图中可以看出，人的各种受挫反应大体上可以分为两个纬度（建设性反应和破坏性反应）或三大类，每一类再可以细分为几小种。

1. 积极的理智性反应

（1）升华。视挫折为行动的最强烈动力，毫不动摇地朝既定的目标继续努力。古今很多伟人都是这样看待挫折的。我们在张海迪、桑兰等人身上看到的都是这种精神。

（2）修订目标。受挫后冷静思考，认真分析目标不能如期实现的各种原因，然后再把目标调整到一个继续努力后能够实现的适当高度。

（3）转换目标。受挫后发现随着自身条件或外部条件的变化，原有目标已不大可能实现，因此转换到一个新的目标。

2. 心理防卫机制式反应

这类反应是心理学家研究的重点，因为绝大多数人或多或少都有此类反应。

（1）表同。表同的具体表现是：受挫后有自卑心理，于是经常通过借用别人的光环来暂时满足一下自己的失落感。

例如，一个各方面表现平平的学生经常在同学面前吹嘘自己的弟弟（实际是表弟）如何如何地了得：唱歌、跳舞、打球几乎无所不能。然后他自己似乎也开始得意洋洋起来。同样道理，虽然许多"青少年追星族"本身很少有成就感，但他们在歌星演唱会上却表现得如痴如狂。因为此时他们会感到歌星的光环好像也笼罩在了自己的身上，似乎自己也非常有成就感。

（2）幻想。有些学生受挫后知道自己确实存在一些弱点，但总是没有任何改进。因为他们心情不好时只是沉溺于幻想，做白日梦，而他们的不当行为却还是日复一日，年复一年不见改变。

例如，一个学生对心理咨询教师说："我知道我有很多缺点，但我每次回家后都躺在床上想：'明天我会努力，明天我会成功'。但是到了明天，我还是老样子，你说我该怎么办呢？"

（3）文饰。文饰又称"合理化"，即受挫者找一些理由来为自己做解释，然后心里就"舒服"了。

例如：一个男大学生爱情屡屡受挫。这次他又爱上了一个女孩，但一直不敢表白。

一帮男生把他推到了一个电话亭里，说："今天你必须向那个女孩求爱！"十分钟后，这男孩欢天喜地地出来了。可他说出来的是这样一句话："真是谢天谢地！那个女孩今天不在家。"

又例如，一个高中生没考上大学，找了一份自认为不错的工作。虽然薪水很低，可是他这样安慰自己："现在就业竞争那么激烈，其他人就算考上了大学，说不定还找不到像我这样满意的工作呢！"

（4）推诿。推诿者一般把自己受挫的原因全部推在别人身上，于是觉得自己毫无责任。

例如，一个学生的外语很差，教师问她什么原因，她说："这还用问什么原因吗？我的爸爸妈妈连 A、B、C、D 都不认识，那我的外语会好吗？"

（5）投射。投射是指受挫者虽然知道自己有许多缺点，甚至是不良品质，但觉得别人身上肯定也有。于是心理上平衡了。

例如，一个学生考试作弊被抓住了。他对老师说："其实，很多学生、包括好学生都作过弊，只不过算我倒霉，被抓住了而已。"有投射心理的人一般都用比较阴暗的眼光来看待各种事物，是一种较为不良的心态。如果青少年怀有这种心态，教师应及早加以引导和矫治。

3. 消极的逃避性反应

（1）固执。固执是指受挫者虽然已经知道受挫的原因来源于很多自己的不当行为，也想有所改进。但一到实际情形中，又陷入了自己老一套的行为方式中，而且还是不能自我控制。

例如，两个学生都知道自己考试时的致命弱点是分心和过度紧张，以致屡考屡败。但他们向学校心理咨询教师问的却是同样的问题："我知道我的最大弱点是分心或过度紧张，但一进考场，我却又会情不自禁地犯老毛病，而且无法控制自己。现在，我真的不知道该怎样来调节自己的心理状态。"对有固执反应的学生，教师应该引起重视，并及早咨询心理教师甚至心理医生。因为让其发展下去，很可能会演变为强迫行为，到时矫正的难度就更高了。

（2）倒退。倒退是指受挫者做出了与自己年龄、成熟度等不相符合的行为反应。对成年人来说，可能是一些类似号啕大哭、装病不起等幼稚行为。而青少年也会做出一些和他们年龄不相符合的倒退行为。

例如，精神分析学者发现，有了弟弟或妹妹的孩子常常会以尿床、吮手指、啼哭等倒退行为让父母来更多地安慰和抚爱自己。

倒退行为还有一种表现是降低了思考能力，从而盲目相信别人的暗示和意见。盲目地去做别人鼓动自己去做的事。

（3）攻击。最具破坏力的受挫反应是攻击行为，但这类行为也分为两种：

攻击自己——酗酒抽烟、摔物、责骂自己、自我虐待，玩世不恭式的行为方式等。最严重的就是自杀行为。

例如，一名14岁男孩因为教师说他向语文教师身上甩墨水，请他家长来学校，他就选择了上吊自杀来向教师证明自己的清白，以此讨回自尊。真叫人心痛不已！

攻击别人——打人骂人、与配偶吵架、无缘无故地训孩子等。

例如，广西某师范学校有一个来自山区的女孩，由于不适应学习生活，产生了严重的挫败感。最后，她把硫酸泼在了同寝室同学的脸上后，跳楼自杀了。这是一个受挫后既攻击别人、又攻击自己的典型例子。

其实，人们受挫后，做出极端反应的人还是少数。绝大多数人是通过心理防卫机制先作一下缓冲，然后再向积极或消极方面转化。

对于教师来说，要学会分析学生的受挫心理和行为动机，努力把学生的受挫反应向积极方面引导是最为重要的。

第三节　学生挫折的化解和疏导

化解和引导学生的挫折牵涉到整个学生心理素质的培养问题，基本前提是从大处着眼、细处着手。这里讲的是几个比较重要的原则或切入点。

一、帮助学生树立高尚而又现实的人生目标

1. 让学生树立高尚、远大的远期目标

中国有"取法乎上，得乎其中"的古训（意为树立高等的目标，到后来实际只可能达到中等的目标）。苏联教育家苏霍姆林斯基认为，一个人在年轻时如果没有被某种高尚伟大的理想而感动得夜不成寐的体验，长大以后不会有出息。具有高尚人生目标的人一般会勇于面对挫折，不计较一时的得失，并把挫折视为成功的铺路石。更重要的是，不要以为学生年龄还小就可以忽视这方面的教育。根据专家的研究和实践，初中时代的学生就开始十分重视自身的价值，并对未来充满着憧憬和理想。如果用好的形式，进行人生目标教育，会很受学生的欢迎。

2. 让学生树立现实可行的近期目标

要让青少年激动一时很容易，但要使其形成踏踏实实、一步一个脚印的人生态度却不容易。因此，教师要帮助学生现实具体地规划自己的人生道路，指出他们的长处和短处及最适合自己的发展道路，克服年轻

人好高骛远的常见病，使他们能够扎扎实实地踏上成功的人生之路。

当然，树立目标的前提是学生在积极而又客观地认识自己后，能够建立充足的自信心。所以，激励学生的自信一直是教师不可懈怠的职责。

二、对学生进行挫折教育

这些年来许多教师常见的一个认识误区，即挫折教育等于吃苦教育。其实这两个概念并不是等同的。完整的挫折教育是一个系统工程，这个工程至少应该包括下列几方面的内容。

（1）让学生积极理解挫折的意义。

例如，挫折的不可避免性、挫折是成功的孪生兄弟、n 次的挫折加上（n+1 次）的努力就可能意味着成功等等。用一些杰出人物的坎坷经历来对学生进行励志教育，也是一种非常有效的方法。

（2）给学生分析挫折的类别、造成挫折的主客观原因等。

（3）对学生进行心理健康教育，让他们学会分析自己的受挫反应，并学会一些化解挫折、调整心态的方法。

（4）让学生参与一些有一定实践意义、模拟性、情境性的挫折体验，其中也包括一些人为的吃苦体验等。

三、让学生学会自我激励

自我激励是化解挫折、调整心态的重要手段，在此需特别强调。教师可以教给学生以下一些原则和方法。

1. 要多和积极性格的人交往

物以类聚，人以群分。多和积极性格的人交往，在潜移默化中就会受到积极心态的感染。所以，教师要多关心学生的交友情况，让他们成长于一种良好的氛围中。

2. 要多给自己良好的心理暗示

教师应该教会学生给自己作良好心理暗示的方法，如内心对话法、提升自我形象法等，使学生能经常自己给自己打气。

3. 要主动寻找外界的激励源

教师应要求学生多看振奋人心的好书，多听积极的报告或讲座，多唱积极向上的好歌，并通过互相交流等方式起到大家共同提高的效果。

四、让学生有适当放松和宣泄的机会

学生是活生生的人，不可能一直处于剑拔弩张式的心理状态，否则他们的精神就可能崩溃。教师平时应该注意做好以下几点。

1. 教学活动的安排要有张有弛

除了上课时依靠教师来调节学生的活动节奏外，下课时应让学生尽量放松，尤其是年龄小的学生，应该更加重视这一点。在有些小学，学生被教师调教得下课时基本上听不出他们的喧闹声，而这种做法还被当成经验向其他学校介绍，这简直令人难以置信。

2. 让学生有话能好好说

从形式上看，校长接待日、心理咨询室、班主任制度的建立十分必要。实际上，提高那些学生心声的直接倾听者，如心理咨询教师的专业素养也许更为迫切和重要。

3. 定期组织集体活动

大型的春游、秋游、营火晚会、歌舞晚会等都是让学生身心放松的好机会。有条件的话，邀请心理专家为学生做心理宣泄等活动，效果也许更为直接。

例如，一个初级中学曾经邀请一位心理学老师在星期天为一些纪律较差的学生做宣泄游戏，结果第二天发觉这些孩子遵守纪律的情况好多了。

现在有许多企业会经常邀请心理学工作者为他们的员工做"压力管理""积极心态"等心理培训。但学校搞这样活动的却寥寥无几，说明教育的滞后性实在是非常严重。可见，转变校长等教育工作者的观念也许是第一重要的。

有人说："人生能有几回搏！"这话固然深刻。但"人生总有几回挫"，也许更有普遍意义。从这个意义上说，挫折对学生来说是一种成熟和成功的"催化剂"。只要能帮助学生从容地面对它，自信地战胜它，成功就离他们很近了。

练习：

一、分析一下自己学校学生的心理压力和抗挫能力状况。

二、根据受挫反应说明图，分析自己班里几个学生的受挫反应，并制订疏导措施。

三、设计一个"人生总有几回挫"主题班会的方案。

11

批评学生的原则和策略

　　一天下午，接近放学时，一位普通中学的教导主任在教学大楼内巡视，看到的是一幕幕这样的情景：

　　302 教室里，教师正对一个上课捣蛋的男同学罚站，还叫他在黑板上写下保证书，并签上自己的大名……

　　204 教室里，教师正为什么事大光其火，看样子会让全班同学再留几十分钟……

　　初二年级的办公室里，一位班主任正在批评一个学生，家长也在旁边"伺候"，还不时插上几句以增强"火力"。这时教英语的教师捧着一叠作业进来，于是也加入了数落这个学生的行列。女孩子再也受不了了，"哇"的一声大哭起来……

　　教导主任虽然觉得这些情景已司空见惯，可心里总是有点不是滋味："虽然这些教师都是真心地为学生好，但这样批评学生效果究竟怎么样呢？应该怎样做才能改变目前的状况呢？"

　　这位教导主任的困惑十分常见。确实，批评学生是师生沟通中最常见、最难处理、甚至是最令教师头痛的问题。因此，掌握批评的一些基本原则和具体策略，应该是师生沟通艺术中教师应该掌握的重点内容。

第一节　批评学生的五大原则

　　许多教育学、心理学的著作都阐述过有关批评的原则、方法等，但这些方法较为笼统，不易操作。我想根据自己的一些研究和师生沟通的现状，着重说明几条最重要和最容易受人忽视的批评原则。

一、是批评而不是责备的原则

　　过去我们常常把批评的原则表述为"惩前毖后"，但是，对于尚未成年的学生来说，他们也许主要适用这条原则的后半句话。

　　一般说来，对于学生一些非原则性的、轻微的错误，应该把批评的出发点建立在对学生的真诚、友善、同情和尊重的基础之上。同时，也要把批评的目标重点定位于未来的改进、而不是追究过去的错误。考虑到学生的年龄、承受力等因素，还要尽量减轻批评带给人的反感，让批评发挥最大限度的正面效用。由于教师担负着指导、培养学生成长的特殊责任，批评时也不能忽略批评者与被批评者双方的权利和责任。批评对学生来说，它仅仅是批评，而决不是责备。双方一起"朝前看"是最重要的。

二、对事不对人的原则

　　有些小学的班主任想出了用调整座位的办法来区别对待不同的学生：凡是行为有进步的学生往前面挪；而行为退步的学生，马上赶到教室后排。有位班主任对这些学生还有句名言："笨蛋，给我死到后面去！"于是，学生们也大都学会了"活用"教师的这句名言。放学时，他们会对一些家长说："你家的笨蛋某某今天又死到后面去了三次！"

结果，许多学生和家长对这位教师十分反感，认为她这样做是侮辱人格，还有人到校长室对这位老师进行投诉。

批评学生时，特别要注意"就事论事"，而不能动辄就以"微言大义"式的语言轰炸，尤其不能用侮辱学生人格的办法来批评学生。教师要通过自己的一言一行不断地给学生做出榜样。无论遇到什么事情，尊重别人的人格永远是做人的重要准则。教师可以说："你错了""你不对""你犯了严重的错误"等等。但是，像"怎么这么笨！""你的脑子怎么一直不开窍！""你脑子有病啊？"之类的说法，全都应该列入"教师绝对忌语"之中。

三、进退有度的原则

有一次，一位家长中午到学校接孩子，当时还没有下课。他看见自己的儿子沮丧地站在教室的门口。一问，原来是因为他儿子上午第一节语文课时做小动作，被老师罚站在教室门口。然后家长又问："那么，后面几节课你为什么不上呢？"儿子嗫嚅了几下，无法回答。

后来，家长从其他教师那里才了解到：这所学校有一条不成文的规矩——学生的问题开始由哪个教师处理，也只能由这个教师撤销处理的决定，还美其名曰："在哪里跌倒，就在哪里爬起来。"可能是那位语文教师忘记了撤销"决定"，导致了这个学生在教室门口站了整整一个上午！家长知道原因后，愤怒之情可想而知！

一般来说，学生犯一些错误大都是无意的。教师在批评甚至处罚后，应该给学生留有一定的改正余地，要给他们"找个台阶下"，以利于今后更快进步。教师批评学生时虽然"该出手时就出手"，但也"该歇手时就歇手"。绝不应该采用过度的批评和处罚方式。而像前述班主任、任课教师和家长一起集中火力"围剿"学生的做法，常常会使一些性格脆弱的学生难以承受，把他们往极端方向逼，甚至造成意想不到的后果。

四、个别化处理原则

一所小学接受了若干外籍学生，开始没有发现他们和中国学生的行为、观念有什么明显的差异。一天放学时，一位班主任因为班里一个中国学生的问题把全班同学留了下来。当着全班学生的面，教师开始了对这位学生的长时间批评。所有的中国同学都不吭声。但是，十分钟后，几个外籍学生开始发言了："老师，虽然这位同学犯了错，但跟我们毫无关系，为什么不让我们先回家呢？"从读师范起就熟读马卡连柯"集体教育原则"的老师和一直习惯于"陪着挨骂"的中国学生都一时惊诧得说不出话来。

应该指出：许多教师喜欢在批评个别同学的错误时让全班同学"陪听"。理由是：批评了一个，教育了全体。其实，除了学生极少数带有导向性的典型需要当众批评外，经常性的让其他学生"陪训"，一般都只能造成"一人受训，举班不欢"的效果。教育学的一些最新研究表明：一般情况下，个别化地处理学生的问题是处理好师生关系的有效原则。

五、因人而异原则

一位乡村小学的语文教师因为学生的字写得不好，就在几个字写得最差的学生的本子上写下了"抄三千遍"的批语。想不到，一位女学生竟然因为受不了惩罚而服农药自杀了。在法庭上，律师为这位教师辩护道："为什么其他几位学生看了批语就没有自杀呢？说明这并不是教师的责任，而是这个女同学本身的心理有问题。"

这里我们暂且不论这个教师的法律责任问题，但从心理学角度看，同一个刺激对不同气质、不同性格的学生来说一定有不同的影响。如果批评不当，很容易对学生的身心健康、甚至生命造成伤害。心理学家指出：胆汁质类型的人要特别注意劳逸结合，对抑郁质的人则要给予更多的关心和温暖。而这两类气质的人最容易有心理疾患。这个乡村教师很可能就是不了解学生的个性，严重地伤害了这个也许属于抑郁质学生的稚嫩心灵，铸成了大错。因此，批评的力度、方式等一定要谨慎，特别要注意因人而异。

心理学家和一些有经验的教师已经总结出了一些针对不同学生的批评方法。例如：对属于不可遏制型的胆汁质学生——"冷"处理后采取回马枪法、逐步推进法等；对属于活泼型的多血质学生——采取频繁提醒法、深刻印象轰击法等；对属于安静型的黏液质学生——采取耐心说服法、逼上梁山式紧盯法等；对属于抑制型的抑郁质学生——采取暗示法、和风细雨式谈话法等。总之，能否有效地、因人而异地批评学生，往往是教师的成熟度和沟通水准的真正体现。

第二节　批评学生的六步进阶法

尽管许多教师都学过一些批评学生的原则、策略、方法等，但碰到实际情况时，教师们往往觉得无从着手，当然效果也无从说起。这里给教师们介绍一种批评学生的有效模式——六步进阶法。这种模式的优点在于综合运用了有关批评的各项有效原则，并从每一阶段的操作方式训练着手，易于教师学习掌握。

一、六步进阶法图示

六步进阶	实　　例
第一步反省内心对话是否正确	虽然小强已两次犯同样的错误，但我可以再好好地说服他，不必发火。
第二步切入话题，伺机说明批评的理由	小强，我想跟你谈谈有关你上课时……
第三步提出明确中肯的批评	我认为你这种表现是完全错误的。
第四步请对方提出解释	你自己注意到了吗？为什么？
第五步请对方建议如何加以改进	你认为可以怎样改正？或你说怎样避免再犯？你认为老师该怎样帮你？
第六步总结对方承诺的行动	那么你答应以后会……或下次会……

二、六步进阶法的具体实施

1. 反省内心对话是否正确

教师欲批评学生时一般应有一定的思想准备，哪怕两三分钟也好。重点是思考自己的内心对话是否正确，是否遵循了以下原则：

（1）真诚。不封闭自我，不矫揉造作，不自以为是，不口是心非。不求对方一定接受自己的全部意见，但希望对方明白自己的全部心迹。

（2）友善。批评的出发点不是去伤害学生，而是去帮助学生，即使这位学生曾经伤害过你或其他学生。

（3）理解。设身处地地体验感受对方的心理活动，试着站在对方的角度来考虑问题。

（4）尊重。这种尊重应包括：对对方人格的尊重，对对方价值观、言行方式的尊重，给对方以充分时间考虑自己的意见，有申辩的权利及不予接受的自由等。

试对比下列内心对话:

·正确的。"小明这次错误给老师造成了不少麻烦,但还不至于无法收拾,我要指出他的错误并让他改进,同时我必须保持冷静。"

·错误的。"小明这次错误实在太令人气愤了!简直是不可饶恕!这次一定要叫他下不了台!"

·正确的。"批评他时他可能一下子受不了,不过我想即使他一时失去理智,我也会一步步地开导他战胜错误。"

·错误的。"我如果指出他的错误,他肯定会跟我大吵大闹,那就麻烦了!索性跟他翻脸吵到底!否则他要骑到我头上来了!"

·正确的。"趁现在事态还不严重,赶紧向他指出,也许他认为不值一提,可我必须防微杜渐。"

·错误的。"这一次就马马虎虎地跟他提一提,免得伤他的面子。如果下次再犯,我可就对他不客气了!"

2. 切入话题,伺机说明批评的理由

可能的话,批评前先要有一个打开话题的"热身"运动,以免给对方一种突如其来的不愉快感觉。但一旦切入话题,就不应拐弯抹角,而应直指问题核心。教师此时可以从几个角度来说明批评的理由。

(1)指出对方错误对你的影响。"今天你课堂上的表现给老师带来了很大的麻烦。"

(2)指出对方错误给对方造成的影响。"你今天的行为如果不改会影响你今后的成长。"

(3)指出问题是如何发生的。"今天有些同学向我反映,说你影响大家正常地听课。"

说明理由时切记要简单明了,忌啰唆或过分重视细节。

3. 提出明确中肯的批评

(1)句子应以"我"字开头,以表示批评发自于你个人,而非某

些不能公开的来源。例如,"我看到了你在课桌下做……这是违反校规的。""我对你今天的做法很不满意,我觉得你太忽视……了。""我感到很痛心,因为你……"

(2)批评对方时语句越简短越好,而且要最先说出,说完后可谈谈此项错误的后果。如果后果在前一进阶中已有所涉及,则这里可以再说得详细些。

(3)注意体态语的配合

眼神:

诚恳的目光——表现自己与人为善的诚意。

自然坦率的目光——表现自己对对方的尊重和信任。

询问的目光——反复与对方对视,表明希望得到对方回应。

教师的眼神切忌游离不定或与对方接触太少,否则学生会对你的批评感到不够真诚或受轻视;但眼神接触太厉害,像"瞪视"对方,又会使对方感到受到侵犯,产生对立情绪。

体态与空间语言:

表示自己的诚恳、关切时——身体微微前倾、靠近对方。

想使氛围略感轻松时——身体适当后倾 10 度左右。

根据对方的各种特点选择不同的空间距离交谈。

4. 请对方提出解释

这一步是用来说服对方心悦诚服地接受你的批评,方法是积极的询问:"你能说说这是怎么回事吗?""你为什么会这么做呢?""能说明你干这事的原因吗?"

询问的目的是让对方有机会作解释和申辩,不要造成"一言堂"的局面。

询问的结果之一是对方接受了你的批评,但此时还可能说出一些让你出乎意料的事实来,使你的批评能修正到更准确的程度,也使对方更能接受。询问的另外一种结果是发现对方确实对你的期望或要求不甚明了，这时你必须向对方作补充说明，并确定一个对方能接受的标准。当然，还有一种结果就是对方解释后，你发现批评并不正确，那么，你就应修正或撤销批评，不可为了面子继续批评下去，造成侵犯学生的行为。

5. 请对方建议如何改进

到这一步时，你主要鼓励对方说出自己的改进意见，根据学生的个性差异，此时的口语策略大致有以下几种。

（1）鼓励型。"你有什么改进的构想？""你给我写一个改进的计划。"

此种方法适用于那些能力和自觉性较强的学生。

（2）建议型。"你说说老师该怎样帮你？""老师要求你这样做你觉得怎么样？"

此种方法适用于那些能力和自觉性中等的学生。

（3）帮扶型。"老师如果这样帮助你改进，对你是否有帮助？""老师会这样来帮助你改正，你同意不同意？"

此种方法适用于那些能力和自觉性较差、需教师具体帮助的学生。

必须指出，此时学生说不定真的会对教师提出一些要求，期望教师也作适当改变。对此，教师必须有思想准备，但不应纠缠于此，重点还是要转向学生的行为。

6. 总结对方承诺的行动

这是最后一步，也非常重要。因为一般的批评者针对"不该有"的行为往往说得很多，对"该怎样做"却表达得很模糊。此时的做法一般是：

（1）重复检讨上一步进阶中对方提出的改进建议，确定它们的可行性。

那么，你答应以后一定会……

所以你下次会……

你确认，你的计划是……

你的意思是……

（2）再次明确彼此应尽的义务。"你将会……做，而同时老师也会……地来帮你。"

（3）向对方说明这次批评的严肃认真性。"老师希望你对你今天所说的话负责，我会经常检查督促你的。""过一个星期，我就来看看你的计划执行得如何。"

这类话主要是让学生明白，以后教师将会继续观察他们的改进努力，以使他们更加慎重行事，不至于也不敢把今天的谈话当儿戏。

最后，与学生道别后，教师如果还有点时间，应该把这次批评性谈话的时间、地点、主要内容等作简单的笔录以备用。

六步进阶法在训练新教师时效果最为明显，很多老教师学后也感到受益匪浅。当然，在实际的师生沟通中必须视情况而变通运用。这种模式所体现出的人本主义心理学精神是每个教师都值得吸取的。

练习：

1. 反思自己平时批评学生的方法，看看自己还有哪些地方需要改进。

2. 实习期间，你发现班上有一个学生经常迟到，请你设计一次和他作批评性谈话的计划。

12

表扬和奖励学生的原则

　　济济一堂的教室里，一位青年女教师的公开课正在进行。老师的脸上充满着甜美的笑容，每一个学生一旦正确地回答了问题，她都热情洋溢地表扬："啊，真聪明！""非常了不起！""棒极了！""怎么这样能干，真是个好孩子！"旁边许多听课的同行、领导和专家也都笑盈盈地点头赞许。

　　下课后开始评课。大家认为这位教师的课十分成功，说了许多赞美的话，还特别赞赏她很会通过表扬来调动学生的积极性。此时，一位专家提出了一个问题："我发现这位老师在表扬学生的语言策略方面还有需要改进的地方。"

　　"是吗？为什么？"所有在场的人脸上都露出了困惑的神情。

第一节 表扬一定有效吗

表扬、奖励用心理学的术语来说，都属于"正强化"。过去所有的教育学、心理学著作都认为"正强化"能鼓励学生加强他们的良好行为。在学校里，也许奖励的手段还不算多，但表扬学生一般是教师的拿手好戏。

在有关表扬的心理学研究中，以经典的"赫洛克实验"[①] 最为著名。赫洛克（Hurlock. E. B）曾经以 106 名四五年级学生为被试对象，要他们练习难度相等的加法 5 天，每天 15 分钟。他把被试对象分为受表扬、受忽视、受训练和实验 4 个组，每天做完加法作业后分别施以表扬、斥责、忽视等不同的刺激，结果发现受表扬组的成绩提高最为明显。

绝大部分教师肯定也认为：奖励、表扬是师生沟通几乎战无不胜的"法宝"。只要奖励、表扬学生，效果总会不错。很少有人想到这些"正强化"的手段还会有副作用。最近的一些心理学研究发现，虽然奖励、表扬总体上能够激励学生，但做法上却大有文章。如果不注意讲究原则和策略，不但效果不好，还可能对学生造成心理伤害。

第二节 表扬和奖励的十一条原则

这里，把有关教师奖励、表扬学生时所需注意的原则和策略总结出十一条，可以称为十一条"军规"。

---

① 潘菽. 教育心理学. 北京：人民教育出版社. 1980：96－97.

一、期望与效价原则

国外的许多学校现在已经把企业管理心理学中的一些方法运用到了学生管理中，而且确实行之有效。

例如，美国的一所学校在褒奖学生时，根据管理心理学中"期望与效价"理论（人做某事的积极性等于成功概率和价值判断的乘积），采用了发"代币券"的形式，使学生的良好行为得到持久强化。如果学生有某种良好行为被教师表扬，他可以得到一张价值若干元的代币券，并可用它在学校的小卖部换取同样价值的小商品。如果学生当时不去兑换，并继续保持他的这种良好行为一段时间，或又有新的良好行为被表扬，就可以到教师那里换取一张面值更大的代币券。如果学生仍不兑换此券，并继续保持良好行为，教师的处理方式则仍根据以上原则类推。

经过一段时间的实践证明，绝大多数被表扬的学生都选择了持券待"兑"的方式，眼光"短视"的学生确实并不多见，其中的道理不言自明。

二、奖励内部动机为主原则

此原则来源于心理学中著名的"德西效应"。心理学家德西在实验中发现：在某些情况下，人们在外在报酬和内在报酬兼得的时候，不但不会增强工作动机，反而会减低工作动机。此时，动机强度会变成两者之差。人们把这种规律称为德西效应。

根据德西效应，教师在表扬和奖励学生时，要运用"奖励内部动机为主"原理，使学生更关注自己的成长。平时，教师要仔细观察学生的个性和特长，一旦发现学生的良好行为并给予褒奖时，要注意引导他朝自我成长的方向发展，而不要引导他们仅仅去谋取一些"蝇头小利"。例如，对表现好的学生，如果有体育才能，可以推荐他们参加球队；如果有文艺才能，可以推荐他们参加乐队、合唱团、舞蹈团，或为他们举办演出等；如发明创造等方面有成果，可以为他们举办公开展示等。

三、延后褒奖原则

西方人称此原则为"老祖母的原则"。意为：先好好吃完晚餐，然后才可以吃甜点。心理学告诉我们，一旦驱使你去做某件事的诱因消失之后，即使有再好的意向也难以实现。因此，教师要设计好让学生表现出良好行为的诱因和方法，使学生先全力以赴地做好一些他们该做的，然而又有一定难度的事情，最后才能得到表扬或奖励。把对学生有吸引力的目标分解为近期、中期和远期，让他们明确地朝着这些目标去努力，是激励学生行之有效的方法。要让学生记住，天下没有白吃的午餐。或者，太早得到的葡萄一定不够甜的道理。

四、表扬重点是行为而不是人格原则

心理学家认为，从小培养学生独立自主的人格是非常重要的。如果教师和学生交往时经常就一些小事任意涉及他们的人格，就会使学生认为自身的价值必须依附在他人给予的赞同、不满等评价上，从而影响他们整个身心的发展。

请比较下面的实例。

正例：

这篇作文的水平很高，它对中学生的心理有深刻的描绘！

最近你的作业做得很认真，字迹也端正了，我会在学生联系册上告诉你的家长。

反例：

老师觉得你很了不起，文章写得这么棒！

最近我认为你变成了个好孩子。

同样，在课堂上面对着全班学生时，教师不应该对一些能正确回答问题的学生随便说："很棒！很聪明！"因为其他未能回答出问题的学生听后很可能会感到自己"很差、很笨"。这时一般的口语策略通常是："不错、正确、答对了"等中性反应，这些反应没有附带对学生人格的评价，教师可以放心使用。

五、不能太廉价或过度原则

教师太廉价或过度的表扬和奖励经常会起反作用，这是因为：

（1）学生觉得教师不是真心的，而只是一种惯用的手段。

心理学告诉我们，如果一种刺激持续时间太长，人们就会因为"适应"的缘故而变得不再敏感。因此，教师虽然说不上必须"惜褒如金"，但也应该适当注意表扬和奖励的"发行量"，从而保证你说话的"含金量"。

（2）如果教师对学生的一些好行为感到太惊讶，学生会理解为反面的不良行为也不会很严重，而且这类行为很快就会发生。

试看这样的表扬："小强今天非常好，20分钟里都没说过一句废话。"那么，30分钟后，可能有很多同学开始说废话。

（3）心理学认为，教师太多赞美他所期望的行为，则隐含着他原来正期望着相反的行为可能会发生。特别是一些正处于逆反心理年龄阶段的学生，经常会想找个借口与教师"对着干"。

六、不随便比较学生原则

教师要发现每个学生的独特之处，让他们根据自己的个性和特长来健康发展，并且要让学生明白，每个人都有自己独一无二的优点，而不能动辄就把学生互相比较。"人比人，比死人"，什么事都让学生互相比较，是一种很拙劣的教育手段。在表扬和奖励学生时也同样必须遵循这个原则。

正例：

你的手工课作业做得真好，我想你一定花了很多心思，老师真喜欢你的作品！

反例：

你的手工课作业完成得真好，全班无人及得上你！

遗憾的是，我们经常看到的却是类似下面这样的情景：美术课上，颇感失望的教师"总算"看到了一位学生的作业比较像样，就把这位同学的作业高高举起，展示给全班同学看，同时大声对大家说："大家看看，这才叫在画画啊！再看看你们自己，简直都在糟蹋颜料！"

于是，教师又成功地完成了一次"抬高了一个，倒下了一片"的"壮举"。

七、公开与私下双管齐下原则

对一些低年级的学生，公开表扬、奖励的效果较好。因为根据教育心理学的研究，这个年龄阶段的学生觉得大人对自己的评价是非常重要的。而对一些高年级的学生，教师在他身旁低声的称赞可能比在全班面前表扬更令他感到愉快，因为这样做可能会避免他陷入被同学议论、讥讽的尴尬境地。

除与学生个别沟通时教师可私下表扬外，有时在人多的场合，教师同样可以在走动中使用耳语、轻声告白等办法表扬学生。甚至教师一丝欣赏的微笑、一个赞许的眼神，学生们也大都能心领神会。对有些带有导向性、典型性的良好行为，教师应有意识地公开加以奖励或表扬，因为"榜样的力量是无穷的"。

八、尽可能公平一致原则

教师在奖励或表扬学生时，有时会由于一些因素影响它的公平性和一致性。

例如，个人的心情好时，教师乐观、敏感、行为主动；心情不好时，则悲观、迟钝、行为木讷。不管个人心情如何，教师一与学生接触，就应像演员进入角色，因为这是教师起码的职业道德。否则，学生就经常为这样的问题而困惑：昨天，某同学是因为某种行为得到了老师的表扬，而今天我也有相同、甚至更好的表现，可是老师为什么熟视无睹？

又例如，对不同学生的好恶感也会影响教师的公平性和一致性。对不同的学生，只要有相同的良好表现，都要给予及时的褒奖。

九、隐恶扬善、找好不找坏原则

当学生们的表现不一致时，教师应以正面引导、表扬为导向。让表现不恰当的学生懂得：只有表现转好才会得到教师的关注和赞赏。必要时，教师可以对学生的某些消极行为暂时表示熟视无睹，或者装聋作哑。

正例：

A组的志强举手发言了，我非常欣赏他的大胆和勇敢！还有谁能像他一样？

反例：

怎么全班同学都不想回答问题，只剩一个人举手？怪不得很多老师说你们班级的学习风气很差！看样子你们班真是搞不好了。

十、珍惜学生的这一刻原则

教师不要计较学生过去或一贯的不良行为，不求十全十美，而要相信学生内心深处渴望进步的良好愿望，相信"滴水可成大海"。

当那些自己不喜欢的学生有好的表现时，有些教师通常的典型想法是：今天可真是太阳从西边出来了，但我想还是不表扬他为好。因为这家伙肯定是个捧不起的刘阿斗。

请看一个学生对要求过高的教师的反应：你这样不相信我的表现——我改你又不相信，我不改你又不满意，那我还不如不改！

一个好教师就像一个好猎手，他不但要捕捉学生的缺点，更重要的是要时时刻刻捕捉学生的"闪光点"，并加以宣传表扬。

十一、因人而异原则

如果发现你对学生的奖励或表扬不能加强学生的良好行为，那么就应根据学生的个性特点试着改变一下你的语言策略。试体会以下几种语言。

（1）我发觉你已经非常尽力，但效果要慢慢才会显出来。

适用于那种能力不强、心里想改进，而心理敏感度又较高的学生。

（2）继续努力，加油干吧！相信你下学期一定会在班级里崭露头角的。

适用于那些有潜力，但对自己要求不高或自信心较差的学生。

（3）我认为你虽然是年级中的佼佼者，但还应到区里去比试比试，不知你会不会名列前茅？

适用于那些聪明、好胜心强，又很容易骄傲自满的学生。

再看看以下几种不同的褒奖方法。

星星、纪念章、笔记本、奖状。

参加某些荣誉性的学校或社会活动。

在国外某些学校，教师还有权采用让个别学生早下课、早去球场打球或看电影等奖励方法。

针对不同年龄、个性和需要的学生，教师应采取多种多样的奖励方法。表扬和奖励的十一条原则是许多优秀教师沟通实践的总结，但关键还是要在领会其精神后灵活运用。

练习：

1. 对照表扬和奖励的十一条原则，反省自己做得好在哪里和差在哪里，应该怎样改进。

2. 班上有一个学生，平时表现比较自由散漫，学习不认真，在一次课外活动踢球时，不慎将教室的玻璃打碎了。晚上，他一个人悄悄地来到学校，将新买的玻璃装配上。门卫师傅发现后，第二天将这件事告诉了班主任。假如你就是那位班主任，打算如何在班上表扬这位学生？

13

师生沟通的团体游戏

近年来，无论是在教育界，还是在各类企事业单位，越来越多的人开始重视对学生或者员工进行团体心理训练。各种团体游戏的开发层出不穷。其中关于沟通游戏的研究和开发一直是一个重点。本章主要介绍在中小学班级活动中，根据不同的活动需要而采用的团体沟通游戏。

第一节　自我介绍的游戏活动

　　这一部分的活动能够比较快速地增进团体和成员之间的相互了解，也能够使成员以轻松、有兴趣、对自己关注、也对别人关注的心态来参与团体活动，从中亲身体会对人对己关怀的内涵。

一、"我是谁？"

　　（1）介绍的人用个性化的语言内容开头来介绍自己，例如，我是"湖南人"，我是"小丸子"，我是"木头"，我是"爸爸的儿子"，我是"奇怪的人"……

　　（2）要求小组中的其他成员记住正在自我介绍的同学的话。

　　（3）当第一个人自我介绍完毕，第二个人在介绍自己之前，要先重述第一个人的介绍辞后才可以介绍自己。第三个人则要重复第一人、第二人的介绍辞后，再来介绍自己。依此类推，例如，

　　甲：我是×××。

　　乙：我是×××，我是△△△。

　　丙：我是×××，我是△△△，我是□□□。

　　丁：……

　　（4）当全部介绍完毕后，可以找不同的人当第一个人重新介绍起。

二、"我是一个怎样的人？"

　　（1）介绍的人用形容词来介绍自己的人格特质，比如说："快乐的"人，"爱吃的""有病的""神秘的""含蓄的"……（加上一个形容词）。要求小组中的其他成员记住正在自我介绍的同学的话。

（2）进行方式与"我是谁"相同，但应该适时调整位置，增加接触的新鲜感。

三、列车自我介绍式

（1）大家围成一个圆圈，并尽量靠近坐在一起；指定其中一人为一号，并依序编号下去。

（2）由一号开始报出自己的名字："我是×××"。二号接着报出自己的名字，并复诵一号的名字："我是×××，他是△△△"。再由三号报出自己的名字，并依次复诵一号、二号的名字："我是〇〇〇，他是×××，他是△△△"。直到全组报完，最后由一号将全组人的名字复诵一遍。

（3）第二轮由二号开始，除名字外还要再加上一些资料，如爱好、籍贯、年龄等（由班主任教师指定）。然后二号开始："我是〇〇〇，喜欢打篮球。"接着三号说："我是〇〇〇，喜欢游泳；他是〇〇〇，喜欢打篮球。"依次报完后，二号要复诵全组的名字及爱好。

（4）可再选几个主题，渐渐增多名字后面所加上的资料，以再轮两次为宜，如此列车就会很长，如："我是×××，喜欢运动，讨厌唱歌，毕业于××小学；他是〇〇〇，喜欢绘画，不喜欢看电视，毕业于××小学；他是……"。

（5）当所有活动结束后，抽选一位代表上台，介绍所属组内的所有人，以达到相互认识和了解的目的。

（6）如果小组成员年龄偏小，记忆力不够，可简化为："我是×××，他是△△△（左边的那个人）。"即只介绍左边一人。

（7）在进行这个活动时，要求全小组成员手拉手地进行，以增加接触的亲密感。

四、选择词语自我介绍

（1）准备空的纸箱四个。

（2）发给每个成员一张纸，并要求裁成四等分的纸条。

（3）请成员各自想出一句形容词、一个动词、一句修饰用的语尾变化动词和自己的名字，分别写在四张纸上。

（4）按顺序传递百宝箱，将四张纸条分别放入四个纸箱中。

（5）将放语词的百宝箱放在桌子上。

（6）让成员一个个按顺序站到前面作自我介绍后，再从箱子中分别拿出四张纸条，念出这些纸条上的句子，例如，"我'每天''如同发疯似地''沉迷于''无线电操作的塑胶模型'"。

五、配对的自我介绍

（1）在成员之间寻找互相有相同的东西，或有可配成对的物品，如手套、袜子、同型的小箱子、铅笔、笔记簿、橡皮擦，等等。

（2）准备口哨一个、空箱子两个。

（3）将成对的东西分放在两个箱子中。

（4）当辅导员的哨音声一响起，成员就从箱子中取出一件东西，回到原来的位置。

（5）当辅导员的哨音声再一次响起，成员各自寻找和自己拿着相同东西的人，然后互相握手作自我介绍。

（6）当自我介绍结束后，各自将拿的东西再次放回原来的箱子中。

（7）当辅导员的哨音第三次响起，成员依以上的方法再次作自我介绍。

六、幸运名片交换

（1）发给成员与团体成员数相等的纸片数张。

（2）请成员在纸片上简单写上宣传自己的用语。

（3）准备在进行活动时播放的音乐曲子和辅导员用的哨子。

（4）将所有成员分成人数相同的两队（外圈和内圈）。

（5）配合着行进的音乐，外圈和内圈的队员各自沿着相反的方向前进。

（6）辅导员在适当的时候吹哨子，音乐一停止，全部队员就地站定，然后外圈和内圈的队员开始互相面对面敬礼，一面交换自己的名片，一面互相自报姓名。

（7）当听到辅导员的哨子和音乐曲子时，两组队员重新向着和最初圆圈上的相同方向再开始前进，并按照同样的方式进行相互认识活动。

七、令人惊奇的自我介绍

（1）让成员以坐成环形的小组为活动单位。

（2）依照座位的顺序，由其中一个队员站起这样介绍自己："我是擅长××，不擅长××的（姓名）（在×的部分，要将自己的特性放入）。"例如"我是擅长数学学习，不擅长写作文的松浪"。

（3）小组其他队员听完每个人的自我介绍后，都要很惊奇地说："哎呀！令人惊奇的'姓名'！"并大声鼓掌。

八、指定座位的自我介绍

（1）用彩色笔在卡片上从小到大写上数字号码，并发给团体中的成员。

（2）每人依据卡片，确认自己的座位号码。

（3）活动开始时，由辅导员任意说出一个号码，坐在该号座位上的队员就拿着麦克风作自我介绍，结束后，接着指定自己想要的队友自我介绍的号码。

（4）座位号一个个被指定，全体队员依序轮流。

（5）注意：已被指定过的号码要在各自的卡片上做一个记号，相同的号码不要重复指定；被指定过的队员，在刚开始介绍时，必须说"我是受到小钟指定自我介绍的弘仁"，将指定自己的队员名字加进去。

第二节　同理心的游戏活动

在小组沟通游戏中，透过同理心和自己的内省，以及与他人的人际互动，可以帮助成员在相互接触中了解自己，进而接纳自己、肯定自己。

在开展同理心的活动时，最好以小组的方式进行，以 8 ~ 10 人最为恰当。教师可让学生席地而坐，而且使进行活动的地方不受外界干扰。学生在座的时候，可以环绕成圆形，学生与学生之间不能相距太远，一般以两人之间只相距一只拳头为宜。

一、自我画像

（1）辅导员对学生先说明自我观念的意义，请小组成员各自思考自己是什么样的人，用什么形象来表达"过去的我""现在的我"和"将来的我"？

（2）分发给每人一张白纸，要求横放，并事先折成三格。然后开始绘画（约 10 ~ 15 分钟）。

（3）画好后，小组成员依次序站出来解释画中的意义，与他人分享自己画中的境界或喜悦。

（4）可在画中画一个最能代表自己的动物或植物或任何不拘于某种形式的画。

二、乐趣分享

（1）辅导员先告诉组员们利用两分钟的时间，想一下自己平时有哪些兴趣，比如钓鱼、看书、打球……

（2）然后拿出事先准备好的号码签筒放在桌上，用抽签的方式，一个个上台用动作表演自己的兴趣让别人猜；在动作表演时不可以发出声音，只用动作表示。为了增加紧张的气氛，规定在两分钟之内没被猜到者，即以表演不逼真为理由，罚他唱一首歌。

（3）每个人表演完毕，不管有没有被猜中，都把他们的兴趣写在黑板上。等到小组成员全部轮完或时间快结束时，将黑板上同学们所列的各种兴趣加以归类说明。

三、小礼物

（1）辅导员发给学生每人×张小纸片（小纸片张数为全小组的人数），然后说明："我们今天要彼此送礼物给彼此，这份礼物虽小，却很有意义。"

（2）然后指定一个对象，由其余的人列举出他的优点，要求在列举这些优点的时候要明确、具体，比如："我喜欢你对朋友的亲切态度""我喜欢你读书用功的精神"……

（3）写完后，依序对他说出他的优点，然后再把纸片给他，同时这个人要回答："谢谢！"

（4）由被指定的人说出自己的感想，然后再换一名对象进行，直到全组轮完。

四、画你所听到的

（1）辅导员事先准备几张图片（风景、静物、漫画……），并发给每个人几张白纸（分发张数与图片张数相同）。

（2）活动开始，由组员分别轮流看图片，口头指示其他人画图，其他人不能看到图片，只能依口述者的指示作画。完成后，辅导员展示原画，大家一起讨论，选出最像的一张作品。

（3）再换一个人口述另一张图片，其余人作画，直到全部画完。

五、音感作画

（1）辅导员交代组员准备彩色笔（蜡笔、水彩笔均可）及画板；辅导员先准备几首不同类型歌曲的录音带和录音机。

（2）活动开始，辅导员将白纸发给学生，要求大家根据所听到的曲子，把感受画在纸上。一首曲子平均放 5～10 分钟，反复地放。为了避免造成"涂鸦式"乱画的后果，可规定学生先闭起眼睛用心听曲子，直到辅导员说："开始画！"放音约过 2/3 的时间后，才张开眼睛作画。

（3）依次再放其余曲子，要求大家一一完成；最后留下 15 分钟，互相交换欣赏，并交流心得。然后挑选数张比较特殊的作品展示出来。

六、小耳朵

（1）辅导员事先准备好空白录音带及录音机，并秘密安置于小组聚会场所。

（2）利用隐藏式麦克风，暗中录下组员们生活中最自然的声音，如歌声、笑声、哭声、叫声、聒噪声……然后找时间大家一起听，找出人群中的自己是怎样的一个角色。

（3）事后，辅导员可与大家一起来讨论"我们是怎样的一个人？"

七、请你来说我

（1）辅导员准备一面镜子，并对学生说明："团体中任何一个人，都像一面镜子，可以把别人的优缺点客观地反映出来。现在我们就要搞一个活动……"

（2）每个人各自邀请三个人当镜子。活动开始，由第一个人开始，当他把镜子交给他的邀请者时，邀请者便站起来以镜子的身份忠实地反映出他的优缺点；三位邀请者都发言后，再轮到第二个人。到全部轮完为止。

八、我是这样的吗

（1）全组围成单圈坐下。在活动之前辅导员对大家说明："我们要通过这个活动来开放自我，接受别人眼中的我，并学习关心他人、观察别人及表达自己。"

（2）小组成员一边唱歌一边传物，歌声停止时，接物者即为核心人物。然后全组人员针对此人，依序发表自己对此人的看法（优点、缺点）；全组成员都说过后，由核心人物谈谈自己的感想。再轮他人，直到全组轮完为止。

（3）如果核心人物重复"中奖"，就以这个人右边或左边的那个人为核心人物。

九、当我小的时候

（1）全组先共同想与"小时候"有关的一些歌曲，如童年、奶奶对我小时候讲过的话、记得我当时年纪小的时候……小组成员一边回想一边把它们记录下来，然后手拉手唱着这些歌曲。

（2）辅导员发下纸张，大家用彩色笔开始画出小时候住过的地方、房间、读书的环境、家中的人等。

（3）再留约 1/3 的时间，依序介绍自己的图画，与大家分享。

十、偶像认同

（1）辅导员要每个人回答以下的问题。

·我的偶像是谁？

·他有什么优缺点？

·我是否学习了他的优点？这对我有什么帮助？

·还有哪些是需要我努力学习及改进的？

（2）然后要成员找到组内的一个人为对象，对他说明自己喜欢他的原因及希望他具有的更好行为，如："我喜欢你，因为你……如果你……我会更喜欢你。"而被述说的人要说："谢谢你。"

（3）轮流进行。如所找的对象是自己的偶像，就更佳。事后每个人依序说出在此活动中，对自己的了解是什么以及今后要努力的方向是什么。

十一、小天使与小主人

（1）辅导员扮演"裁判员"，并说明这个活动的意义是让成员体会"付出"与"获得"的滋味。

（2）每人抽一支签，签上名字即为活动期间自己的"小主人"，而自己则为"小天使"。

（3）小主人的权利：尽心体会小天使为你所做的服务；若遇上懒惰没爱心的小天使则小主人有权力向裁判员提出控诉。

（4）小天使的义务：竭尽所能敬爱、照顾小主人，而不要泄露自己是哪一个人的小天使的身份。

（5）活动结束前，由"裁判员"主办恳谈会，让每个人和自己的小天使见面。之后，共同讨论担任小天使与小主人双重身份的感想。

十二、我的个性

（1）辅导员说出各种动物的名字，请大家说出这些动物的个性，如鼠——胆小；牛——勤奋；马——狂野、不受拘束；兔——敏捷、活泼；猴——聪明、灵敏；狗——忠实；虎——粗暴、凶猛……

（2）要同学们讨论以下的问题：

·哪些动物的个性是受人喜欢的？哪些是让人不喜欢的？

·这些动物个性的特质，是否可以套用到人的身上？

·人的个性特质之中，哪些是大家所喜欢的？哪些是不为人所喜欢的？为什么？

（3）发给每人一张白纸，要求大家将自己的个性写出来，并以一种动物（或植物、或某个人）来比喻自己。写上自己的姓名，交给辅导员。

（4）再发给每人一张白纸，请他写出某位朋友的个性缺点（不署名，也不写对方姓名），折好后放入签筒。每人依序分别抽出一张，念出此项个性特质，并谈谈对此缺点的感想。

十三、角色扮演

（1）让学生角色扮演以下情境，并加以讨论。

·在沙漠中，找不到水源，口渴得要命，而身上有的只是一只手枪和一颗子弹。

·好不容易公共汽车来了，却发现放在口袋里的车月票不见了。

·上课铃响回到教室，发现放在桌上的笔记本，被人弄上一团墨汁。

·老师一直夸赞××同学，却从来没有表扬过我。

·我的数学习题不会做，请教同学，同学不告诉我。

·我的亲人生病住院，朋友到医院探望。

·跌了一跤好痛好痛，爬不起来了，朋友扶我起来。

·钱包掉了，身无分文流浪街头，一个陌生的老人来帮助我。

（2）一个情境表演完毕后，要求成员共同想出其他各种不同的扮演方式即不同的思维方式：悲观、乐观、麻木不仁……然后辅导员归纳说明正确合理的态度。

（3）每个人轮流扮演小组内其中一人，模仿其言行、举止、穿着，以帮助该人了解他自己在别人心目中的形象。

（4）职业角色扮演：每个人轮流抽签表演签上所示的职业，如邮递员、小店的营业员、教师、小偷……其余的人从表演者的动作表情中，猜出这个职业的名称。

（5）最后由辅导员旁白，叙述一个生活化的情境，选人出来表演，表演后再发表内心的感受。

现在我在等公共汽车，车子怎么还不来？唉！空气好脏喔！唉！啊！车子怎么又走了呢？那不就是我要上的车吗？唉！真是愈急愈不来！又有车来了！不错，我可以上的。唉唉唉！不要挤、不要挤……哇！你踩到我的脚啦！真是的！哇！你撞到我的后背了！你是不是太不小心了？唉！怎么紧急刹车了？什么？前面出了车祸?！我看看、我看看……下车了。唉！真倒霉！唉？下雨啦！快打伞。唉，为什么忘记带伞了？还是赶快跑回家吧……好，总算回家了。唉，钥匙呢？钥匙呢？喔！糟糕！放在学校里了……

（6）辅导员对大家谈出这样的感受：当你觉得一件事情很不顺心时，情绪就会一直糟糕下去；当你觉得今天充满希望时，你就会感到十分快乐——境由心生。

十四、即席演讲

（1）由辅导员担任裁判，并宣布评分标准。

（2）每人抽选下列各题目，作两分钟的即席演讲；前一人演讲时，下一位即可抽题准备。

- 我最喜欢的电视节目
- 我理想中的家庭
- 我心目中的好老师
- 如果我是（爸爸、妈妈……）
- 我在家中最愉快的一段时间
- 最喜欢的家人
- 最不愉快的一件事
- 当我小时候
- 当我被朋友误解时
- 当我请朋友帮忙，遭到拒绝时
- 当我发现某人经常在背后说我坏话时
- 当我觉得无法与其他人和睦相处时

十五、猜职业游戏

（1）辅导员事先准备几种职业，列出它的三个特征，说出第一个特征即猜中者得三分，说出第二个特征后才猜中者得二分，三个特征全说出才猜对者得一分，答错者倒扣一分。

- 教师——告诉我们做人处世的道理
　　　——上课前需做许多准备工作
　　　——教导我们知识、技能
- 公共汽车上的售票员——一般为女性

——要给她一张票或刷卡或一定数目的钱，才让我们上去

——在车上和司机共同替人们服务

（2）上述活动之后，要求每人想一种职业，列出它的三个特征后，轮流上台说出题目，并继续进行猜答活动。

十六、围圈谈心

（1）所有人面向圆心，往中央靠近，很轻松地坐下来。

（2）由第一名依序说出自己想到的第一件物品或想带回家的东西，或曾经有过第一次刻骨铭心的经验——如考试、梦境……然后因某事的中途打断而无法得到；或因某原因不能带回家……

（3）必须当组员十分熟悉时进行本活动，才不会造成冷场。

十七、天籁之音

（1）所有的人面向圆心成单圈拉手坐下，眼睛闭起来，先拉手然后可改成搭肩、钩手指……

（2）辅导员要大家用心聆听四周的声音，3～5分钟，然后共同讨论听到的声音，并说出每一种声音给人的心灵感受是什么？

（3）先录好各种声音，如水声、车声、铃声、风雨声、尖叫声、各种撞击声、小贩叫卖声……用录音机放出来，要每人写下所听到声音的名字。完成后，全组共同核对讨论。最后再由辅导员公布正确答案。

十八、优点汇聚

每个小组5～6个学生，围成一个圆圈，让一位学生坐或站在圆圈中央，其他人轮流说出他的优点及欣赏之处（如性格、相貌、品德等）。依次轮流下去。每个人在被评论后，要发表被人发现优点后的

感想。

十九、猜猜这是谁

给每位学生发一张白纸，让他们在纸上写下 3～5 句描述自己的句子，但不能写名字。写完后将纸折叠好并汇聚在一起。然后每个学生随机抽取一张，打开折着的纸并念出纸上的内容，让大家猜一猜这一张是谁写的。猜中的人要说明理由。辅导员要引导学生发表自己猜中别人或被他人猜中时的感受。

二十、组员心声

发给每人一张写有未完成句子的纸。辅导员要求大家思考并认真填写这句没有完成的话，然后让每个人在团体内向别人讲述他所完成的句子。辅导员从他人各自的表述中可以看到每位学生的参与程度、内心的感受，从而互相启发，增进彼此间的了解和接纳。

二十一、20 个"我是谁"

辅导员发给每位学生一张白纸，在规定的时间内写出至少 20 句"我是谁"的语句，然后让大家在小组里交流。要求任何人都抱着理解他人的心情，去认识团体内的每个人。

第三节　增进信任与合作的游戏活动

这组游戏活动可以使学生体验到人与人之间相互信任的重要性。当明白了信任在人际沟通中的重要性后，就有了解他人、尊重他人的需要，进而才会对他人产生真正的信任。

一、你是我的镜子的交互介绍

（1）让所有学生以两人为一组，分成若干组。

（2）两人一组面对面坐下，就辅导员所指定的几个话题互相交谈，并牢记对方的姓名、家庭状况、爱好，以及五个"最"（比如最喜欢的事、最得意的事、最害怕的事、最难忘的事、最脸红的事……），交谈约10分钟。

（3）然后依序对大家介绍自己的伙伴；若介绍不充分时，则由被介绍者自行补充。轮流介绍到全部学生发言完为止。

二、哼小调的分组活动

（1）事先准备好全部人数的纸片，上面分别写着通俗的歌曲（以学生最有兴趣又最易唱的歌为宜），差不多 x 张左右为相同一首歌（相同歌曲的张数，依分组后各组的人数而定），届时可依相同歌曲者为一组。

（2）每个人抽一张纸片（歌名不可让他人看见）。辅导员宣布开始，每个人便轻轻地哼着自己的歌，并在活动范围里寻找和自己唱相同歌曲的人。

（3）等各组成员聚齐后，互相鼓励。然后各组再以该首歌的曲调填上新词作为组歌，各组依序表演唱歌。

三、众志成城

（1）辅导员在地上画一个一米见方的正方形，要求全组所有的人在 x 分钟之内想办法站到正方形内，任何方法都可以，只是脚不可超出正方形外。然后将正方形缩小再来一次。

（2）改变规则：x 分钟内所有人进入正方形内，用任何方法都可以，只是脚不可以踏在地上，而以身体其他部位着地，且落在正方形内为要求（让参与者可以感受身体重叠的压力），然后同样缩小范围再来一次。

（3）再变化规则：由辅导员取出事先准备好的指示信，内有歌曲名字。把第一封指示信交给小组，所有人须在限时内依歌名的字数拥抱在一起，而全组落地总共的脚数要与歌名字数相同，并演唱该指定歌曲。为符合难度渐增原则，第一封信里放的歌名字数可以较长，接着渐渐选短的歌名曲子，最后一封最短，比如只是一个字的，根本不可能做到叠在一起，这样可以增加趣味性。

（4）所选时间的长短，以安全为标准。

四、飞越毒龙潭

（1）辅导员先说一个冒险故事，重点放在"毒龙潭"上。然后告诉大家现在全组要一起通过毒龙潭。

（2）说明穿越方式为：由某一角落到另一角落，以踩脚方式一个接一个走过。

五、传音接力

（1）辅导员将易饶舌混淆的句子写在纸上，拿给第一个人看。第一人再轻声告诉第二人，传音时以嘴贴附着耳说，依此类推。

（2）传到最后一人时，把所听到的写下，交给辅导员。全体讨论所传的话是什么。最后辅导员展示原稿与传言稿，而引导出"沟通易误解"的这个现象和所应该注意的原则，以避免误会的发生。

（3）活动难度发生变化：将"附耳传言"的方式改为"口含水传

言"的方式，造成模糊感，进而训练学生的注意力和用心聆听别人讲话的能力。

六、为谁辛苦为谁忙

（1）两人为一组，发给报纸或白纸两张；一人负责铺换报纸，另一人则在报纸上移动前进，一面铺纸一面前进。

（2）在这个活动进行时计时，最快的一组获胜。

七、故事接龙

（1）辅导员将题目交给组员，给大家 5 分钟的时间讨论大纲。题目以开放式假设口吻提出，例如，

·如果我是……

·当我第一次……

·在一个月黑风高的夜晚……

（2）每人限时 1 分钟，依序接龙；由第一个人开始，最后要说出一个完整的故事。要求内容千奇百怪、曲折多变、百无禁忌者为最佳。

（3）接龙完成后，可再来一次。辅导员准备录音机暗中录音，活动结束前放出来大家听听，分享自己的智慧机智。

八、逛菜市场

（1）每个人选一种蔬菜、一种荤菜、一种调味品，把名字记下来（不可以和别人相同）。辅导员（领导者）开始说一个到市场买菜的经验，提到菜的名称或调味品名称时，如果和个人所记相同者，那个人就要站起来跟着领导者走。

（2）当领导者说："都不要了"，所有跟着走的人就要抢位置坐下，

没抢到的人担任下一个领导者。

（3）"蔬菜、调味品"可变换为"职业名称"，领导者说："我要做……"（如我要吃饭、买衣服、买保险……），则所提到的相关职业的学生就要跟着走。

（4）可接着进行"大风吹"游戏。但进行前，先自我介绍：

（独）：大家好！

（合）：好！！

（独）：我叫"邓××"。

（合）："××"好！！

（独）：我最喜欢吃××，我的志愿是×××……

（自我介绍内容，辅导员可先行统一指定。）

（独）：大风吹。

（合）：吹什么？

（独）：吹"穿裙子"的人！穿裙子的人则抢换位置，找不到位置者出列，继续下去。尽量吹大家都有的东西，以增强气氛。

九、信任别人（Ⅰ）

（1）两人一组，一人被蒙住眼睛，一人带领他，这样随便地走几分钟。

（2）在走路的过程中两人不得交谈，当遇到特殊地形如楼梯、水沟、台阶、树林时，以握手作为暗示。

（3）三人一组，一人被蒙住眼睛，两人带领，或者两人被蒙住眼睛，一人带领，做一次这样的活动。

（4）让所有学生被蒙住眼睛，手拉手，由辅导员带领做一次。完成后，发表各人感想，讨论被帮助的快乐和被别人关心的体会。

十、信任别人（Ⅱ）

（1）众人围成紧密单圈，不拉手；一人在中间蒙眼。圈子大小以8人组成为宜，不宜过大。

（2）中间蒙眼者，身体僵直，任意朝某一方向倒去，圈子内的其他人保护蒙眼者并合力推回圆中心。运作几分钟发表感想。

十一、信任别人（Ⅲ）

（1）一人蒙眼，由其他人抬起，水平上下楼梯及在平地上移动。活动后发表感想，注意到上下楼梯时"头下脚上"和"头上脚下"两种感受的不同。

（2）可变化以"急救伤患者"为理由，要求其他人在限定时间内对被抬者进行包扎，利用衣服、手帕、领巾等，包扎完成后再进行上述活动，这样可以增加趣味。

十二、人墙突破

（1）全组搭肩靠拢围成圆圈，面朝圈外；一人由圈外设法突破钻进圈内。

（2）队形同上，但面朝圆心，一人由圈内设法突破钻出圈外。然后发表感想。

十三、同心协力

（1）全组背对圆心，面朝圆外，手肘勾手肘盘腿而坐，然后设法同时站起来。

（2）若不行，则由两人一组、四人一组、六人一组而逐渐增加至整体。完成这个活动后要求学生发表感想。

十四、拼凑方块

（1）每人分发一个信封，里面装着破碎的纸块。全组设法将其拼凑完整，并依次根据所拼凑出的纸块上的指示进行活动，例如，唱歌、跳舞、大叫等。

（2）每个人先自行拼凑自己信封中的纸块，并拼出一个字，全组再将这些字排列组合，组合成有意义的句子。

十五、互补作用：瞎子、瘸子

（1）两人一组，背人者蒙眼，被背者以按肩（左、右）或单纯言语（左、右、进、退、快、慢、停……）指示背人者前进。

（2）完成后两人互换工作（背人与被背）。

十六、秘密大会串

辅导员要求学生将他们最想解决的问题写在纸上，不署名。写完折叠好汇聚在一个纸箱子里。然后把学生分成几个小组，每个小组分到几张上面写有求助问题的纸条。各小组内的学生分别就他抽到的问题在小组里请所有成员共同思考，帮助提问题的人解决问题。最后，聚集全体同学，就每个学生的问题提出各成员对它们的答复，以体现团体互助的温暖和集体的智慧。

修订版后记

本次的修订工作是由原书编著者之一屠荣生老师担任的。

由于编著者长期从事培训工作，非常赞同的理念是："读懂了"还不够，"学会了"更重要。因此，本次修订的主要目的是进一步增强本书的可读性和实用性，给广大教育工作者提供一种训练型的教材，让大家能够学以致用，为中国教育的改革，为构架师生沟通的心灵之桥做出一点小小的努力。

本次修订的主要变动内容和变动目的是：

1. 增加了一部分内容。例如，增加了"第3章 人际交往效应与师生沟通"，目的是让教师认识一些人际交往的规律和这些规律产生的心理效应，以及它们在师生沟通中的应用方法。这就是先学会"做人"，然后再学会"做老师"的道理。又如，增加了"第10章 学生挫折的化解和心理疏导"，目的是要让教师认识和学会，通过师生沟通，辅导、激励学生，塑造他们的积极心态，给他们以"心灵鸡汤"式的心理滋润是自己的重要社会责任，也是沟通艺术的最高境界。此外，增加的章节还有：第4章第一节；第7章第一节；第8章第一节；第11章第一节；第9章等。

　　2. 在保留了原书主要内容的前提下，对一些章节做了删节或调整。例如，原书中第 1 章第 3 节拆分为第 2 章的第一节；原书中第 7 章现变动为书中第 4 章第三节师生沟通中的沟通模式错误，等等。另外，对原书中一些行文进行了删节和改动，删除了个别章节。

　　3. 保留了原书中每章都附有练习的特色。另外还在每章的开头加了一个引子，以更好地激发读者的阅读兴趣。

　　作为一种新的探索，本书肯定存在许多不足之处，敬请读者和同行专家斧正。

作　者
2007 年 7 月

责任编辑　杨晓琳
版式设计　贾艳凤
责任校对　贾静芳
责任印制　曲凤玲

图书在版编目(CIP)数据

师生沟通的艺术/屠荣生,唐思群编著.—2版.—北京：
教育科学出版社,2007.7(2011.12重印)
(新世纪教师教育丛书/袁振国主编)
ISBN 978－7－5041－3995－5

Ⅰ.师…　Ⅱ.①屠…②唐…　Ⅲ.师生关系—研究
Ⅳ.G456

中国版本图书馆 CIP 数据核字(2007)第 108138 号

出版发行	**教育科学出版社**		
社　　址	北京·朝阳区安慧北里安园甲 9 号	市场部电话	010－64989009
邮　　编	100101	编辑部电话	010－64989593
传　　真	010－64891796	网　　址	http://www.esph.com.cn
经　　销	各地新华书店		
印　　刷	北京中科印刷有限公司		
开　　本	169 毫米×239 毫米　16 开		
印　　张	15.25	版　　次	2007 年 7 月第 2 版
字　　数	203 千	印　　次	2011 年 12 月第 6 次印刷
定　　价	30.00 元	印　　数	27 001—31 000 册

如有印装质量问题,请到所购图书销售部门联系调换。